<중국 여행기 4: 곤명, 대리, 여강, 샹그릴라>

여기는 늘 봄이라네

송근원

<중국 여행기 4: 곤명, 대리, 여강, 샹그릴라>

여기는 늘 봄이라네

발　행 | 2024년 6월 2일

저　자 | 송근원

펴낸이 | 한건희

펴낸곳 | 주식회사 부크크

출판사등록 | 2014.07.15.(제2014-16호)

주　소 | 서울특별시 금천구 가산디지털1로 119 SK트윈타워 A동 306호

전　화 | 1670-8316

이메일 | info@bookk.co.kr

ISBN | 979-11-410-8694-7

www.bookk.co.kr

이 책은 2024년 3월 19일부터 3월 30일까지 중국 운남(雲南) 지방을 자유롭게 여행하며 돌아본 기록이다. 곧, 부산에서 출발하여 중국 운남의 곤명으로 가 대리, 여강, 샹그릴라를 여행하며 보고 느낀 경험을 소개한 책이다.

12일간의 운남 여행이어서 계획한 대로 충분히 볼 거 다 보고, 즐길 거 잘 즐기고, 흐뭇하게 관광하고 오리라 생각했으나, 자유여행인 까닭에 부닺히는 여러 가지 어려움 때문에 제대로 충분히 즐기지는 못하고, 고생을 많이 한 여행이었다.

운남은 중국의 남부에 위치하며, 베트남, 라오스, 미얀마 등과 국경을 접하고 있는 지역인데, 인도와 유럽으로 연결되는 차마고도가 있는 험준한 산들과 고원지대에 위치한 곳으로서 역사적으로는 옛날 대리국이 있던 곳이다.

고도는 높으나, 위도상으로는 아열대 지역에 속해 기후가 좋아 늘 봄과 같은 날씨에, 소수민족이 많이 살고 있어 순박하고 인심이 좋으며, 이들의 풍습이나 생활 문화 등 볼거리도 많은 곳이다.

더욱이 이 지역은 신필(神筆)로 알려진 김용(金庸)의 무협지 천룡팔부의 배경이 되는 곳이어서 꼭 한번 가 보고 싶던 곳이어서 여행을 계획한 것이다.

우리나라에는 곤명(昆明)의 용문석굴, 석림, 구향동굴 등이 잘 알려져 있고, 보통 패키지여행에서는 이들을 3박 4일이나 4박 5일 정도로 다녀오는 게 보통이다.

조금 더 관심이 있는 분들을 위해서는 차마고도(車馬古道) 트레킹 코스를 비롯하여 대리(大理), 여강(麗江), 샹그릴라를 돌아보는 6박 7일이나 7박 8일 정도의 패키지 상품들이 있다.

그러나 이들을 포함하여 좀 더 여유 있게 여행하고자 11박 12일의 여행 코스를 스스로 기획하여 비행기표를 끊고, 호텔을 예약하고, 중국 비자를 받고, 3월 19일 아침 부산을 출발한 것이다.

철저히 준비한다고 하였음에도 불구하고, 중국에 도착하고부터 당장 자유여행의 어려움을 겪기 시작했다.

쓴이는 유럽은 물론 중앙아시아, 동남아시아, 미국, 그리고 저 멀리 중남미까지 자유여행을 한 경험이 있다. 또한 우리나라 동해에서 배를 타고 블라디보스톡으로 가, 17박 18일 동안 시베리아 횡단열차를 타고 모스크바로, 그리고 모스크바에서 거의 한 달 동안 머물며 러시아를 여행한 경험도 있고, 아프리카의 마다가스카르도 수도인 안타나나리보에서 이 섬의 제일 남쪽인 톨레아로 내려갔다가 죽 올라오며, 모른다바, 칭기

등을 한 달 동안 여행한 적도 있다.

이렇게 세계 곳곳을 누비며 자유여행을 많이 하였지만, 그렇게 큰 어려움은 없었는데, 이번 중국 여행만큼은 정말 어려움이 많았던 여행이었다.

제일 큰 어려움은 의사소통이었다. 영어는 물론 안 통했고, 중국말은 전화기에 있는 통역 앱을 사용하였는데, 통역 앱조차도 제대로 통역을 못 해주었기 때문이다. 중국말은 사성(四聲)이 있는 데다 특히 운남지역은 사투리가 많았기 때문인 듯하다

영어가 전혀 통하지 않는 다른 지역, 예컨대, 중앙아시아나 남미, 말라가시 등에서는 손짓 발짓 등으로도 의사소통이 가능하였지만, 중국에선 이런 것도 잘 안 통하였다. 웬 자존심인지, 무엇인가를 물어보면 그냥 자기들 말로 '쏼라쏼라' 하고 마는 거다.

더욱이 지도 앱조차도 구글이나 네이버 등을 중국 정부에서 막아놓았기에 사용할 수 없었고, 중국 앱을 깔아도 한자로 쳐야 하니, 여간 불편한 게 아니었다.

또한 대부분의 식당 등에서는 BC카드나 Visa카드 등의 신용카드도 사용할 수 없어 현금을 사용해야 했는데, 관광지에 ATM 기계가 거의 없어 중국은행(Bank of China)에 찾아가야만 돈을 인출할 수 있었다.

더욱이 관광지 입장료나 버스 등을 탈 때에는 현금을 주면 되지만, 관광지 안을 운행하는 전동차나 버스는 현금을 받지 않고 위챗이라는 앱을 사용해야만 하는 까닭에 위챗이란 앱이 없어 불편하기가 이만저만이 아니었다.

위챗이라는 앱을 미리 전화기에 깔고 갔어야 했다. 뒤늦게 중국에서

이 앱을 깔려고 했지만 결국 실패했다. 왜냐면 플레이스토어 앱 자체가 작동이 안 되었기 때문이다.

자유여행이 가능하려면 의사소통이 되어야 하고, 지도를 볼 수 있어야 하며, 카드 사용이 원활해야 하는데, 이들 모두가 잘 안 되니 쓴 이가 겪은 어려움은 당연한 것이었다.

게다가 음식 또한 향신료를 많이 넣어 입에 맞지 않으니…….

이런 어려움 때문에 결국 반쪽 여행밖에 안 되었지만, 그래도 여행은 즐거웠다.

우선 곤명에선 원통사, 취호, 소석림, 원모토림 등을 둘러보았고, 서산 용문, 구향동굴, 대석림 등은 제대로 보지 못하였다.

대리에서는 비록 창산을 오르지는 못하였고 얼하이 호수에도 못 가보았지만, 숭성사의 대리삼탑과 천룡팔부 영화세트장이 기억에 남고, 대리고성의 밤 풍경도 기억에 남는다.

여강에서는 무엇보다도 여강고성의 밤 풍경이 아직도 눈에 선하다. 관광객들이 모여 함께 춤을 추고, 노래하며 놀던 풍경은 낭만에 대한 옛 향수를 불러일으킨다.

비록 외국 관광객들은 거의 없었지만, 2~3층의 옛 목조건물 사이로 난 골목길과 물길, 환히 빛나는 수많은 등불, 그리고 카페, 식당, 술집, 기념품 가게 등등이 운집해 있는 골목골목마다 수많은 사람들이 붐비는 것은 잊을 수 없다. 특히 거리나 식당 또는 술집에서 이루어지는 소수민족의 춤 공연은 물론이려니와, 중국 각지에서 온 신혼부부 등 젊은 관광객들이 소수민족의 의상을 입고 기념사진을 찍는 풍경 등 볼 만한 것들이 많다.

만약 다시 간다면 여강에 며칠 더 머물면서 밤 문화의 낭만을 즐길 것이다.

여강에서 첫날 갔던 옥룡설산은 그저 밑에서만 보아도 대단하다는 말밖에 안 나온다.

여강에서 샹그릴라로 가는 도중 벚꽃, 배꽃, 복사꽃 등이 활짝 피어 있는 평화로운 농촌 풍경 역시 우리 마음을 넉넉하게 해주고, 이어서 세계에서 제일 깊은 협곡 중의 하나라는 호도협의 거센 물결, 그리고 옛날에 말을 끌고 차를 싣고 갔던 차마고도 역시 기억에 남는 곳이다.

합파설산 전망대에서 바라본 산 위에 있는 밭들과 마을 풍경 역시 볼 만하고, 샹그릴라의 나파해 초원과 야크 떼들, 그리고 송찬림사 역시 방문해볼 만하다.

만약 위챗이라는 앱을 까시고, 이 책을 반면교사로 삼아 여행 계획을 잘 짜신다면, 열흘 정도의 운남 여행을 아주 즐겁게 하실 수 있을 것이다.

특히 자유여행을 계획하시는 분들께 큰 도움이 될 것으로 확신한다.

2024년 6월
송원

공항에서 공항으로(2024.3.19)

1. 공항 관광인가?

2024년 3월 19일(화)

아침, 아니 새벽 5시 반, 밝음이가 끌고 온 차를 타고 집을 나서 공항으로 간다.

7시 40분 김포 가는 비행기를 타기 위해서다.

황령터널을 지나니 차들이 밀리기 시작한다. 김해, 창원 쪽으로 일하러 가는 사람들이 대부분이다. 참으로 열심히 사는 사람들이다.

우린 나이 탓으로 돌리기는 하지만, 이처럼 열심히 사는 사람들에게는 미안한 감이 든다. 이들 때문에 대한민국이 건재한 것이다.

김해-김포 진에어가 KTX 경로 요금보다도 싸다. 일 인당 39,000원이다. 다만 위탁수하물이 가로 세로 높이 203cm, 15kg으로 제한되어 있고, 휴대수하물은 10kg이다.

김해공항

김해공항 - 김포공항 - 인천공항 - 북경공항 - 곤명공항

비행기는 낙동강과 용인골프장을 보여주더니 곧이어 구름 속으로 들어간다.

일기예보에 남부에는 비, 서울에는 눈이 온다더니, 아마도 저 밑엔 비가 내릴 거다. 위와 아래는 이렇게 서로 다르다.

사회계층도 마찬가지일 것이다. 이를 억지로 같게 만들 필요는 없을 게다. 허나 차이는 있되 기본적인 삶은 보장이 된 후의 얘기이다. 서로 다른 것이야 당연한 것이지만⋯⋯.

8시 34분, 김포공항 착륙 사인이 나온다. 46분 착륙. 비나 눈은 안 온다. 날이 맑다.

이제 전철로 인천공항으로 가야 한다.

10시 인천공항에 도착한다.

바로 동방항공으로 가 절차를 밟는다. 여기에선 휴대품이 5kg으로 제한되어 있다.

김포공항

1. 공항 관광인가?

비행기 이륙 시간이 13시 5분이니 시간은 충분하다.

국제항공 CA124는 13시 05분 이륙하여 14시 15분 북경(중국말로는 베이징)에 도착한다. 그리고 여기에서 17시 10분에 출발하는 CA1447를 타면, 곤명(중국말로는 쿤밍) 공항엔 21시 05분 도착이다.

공항에서 절차를 밟는다. 짐을 부치려다 북경에서 짐을 찾아 다시 부쳐야 한다고 하여 수하물로 들고 들어가기로 했다.

"같은 항공사이니 짐을 자동으로 옮겨주면 될 텐데. 왜 찾아서 다시 부쳐야 하는고?"

"같은 항공사지만, 북경까지는 국제선이고, 갈아타는 건 국내선이라서 입국 절차를 밟아야 하기 때문에 그렇습니다."

"아하! 그렇구나."

11시도 안 되어 출국장으로 들어선다. 짐 검사를 하는데 고추장통을 빼앗겼다. 짐으로 부치면 괜찮다는데……, 이것 때문에 밖으로 나갔다 오기는 귀찮다. 시간은 충분하지만!

1시 5분까지 시간은 많다. 무엇인가 먹자!

배고프니 점심부터 해결하자. 국제선이니 비행기에서도 점심을 주겠으나, 중국 비행기에서 주는 건 옛날에도 별로였으니 일단 여기에서 먹고 타자. 지금은 좀 나아졌을지 모르겠다만.

인천공항에서 점심을 먹고는 12시 25분에 비행기를 탄다.

이륙한 후 얼마 안 되어 밥을 주는데 정말 많이 발전했다. 먹을 만하긴 하다. 그런데 배가 부르니…….

북경까지는 2시간 걸린다. 1시 10분에 이륙하여 현지 시각 2시 23분에 도착한다. 중국과 한 시간 시차가 있으니, 두 시간 조금 넘게 걸린

김해공항 - 김포공항 - 인천공항 - 북경공항 - 곤명공항

4

북경공항

셈이다.

북경에 도착하여 입국 심사 후, 공항 내 기차를 타고, 짐 찾는 곳을 거쳐 D13 게이트를 찾느라고 헤맨다.

'C와 D 게이트는 나란히 가라.'는 표지판을 보고 걷다 보니 C만 남고 어느새 D는 실종되어버렸다.

물어보는 수밖에 없다. 물어보니 C12 게이트에서 한 층 아래로 내려가란다. D 표지판을 눈에 띄게 해놓질 않아 지나친 거다.

결국 빠꾸('후진'을 뜻하는 영어 back의 일본식 발음)한다. 가르쳐주는 대로 내려가서 다시 공항 열차를 타고 T3D에서 내려 T13 게이트를 찾는다.

우린 빠꾸는 안 하는 게 생활신조지만 어쩔 수 없다. 살다 보면 어쩔 수 없는 경우가 있다. 우쩔 겨? 길을 잘못 들었으면 빠꾸해야지 별수 있남?

1. 공항 관광인가?

T13 게이트에서 갈아탈 비행기를 기다리며 창 너머에 있는 비행기를 찍는다.

4시 40분에 개찰을 한다는데, 4시가 조금 넘었다.

4시 40분에 줄을 서서 비행기로 들어간다.

비행기는 5시 20분에 출발한다.

좌석은 많이 비어 있다. 널널하다. 비행기는 아까 타고 온 국제선 비행기보다 훨씬 좋다. 좌석마다 테레비가 있고 영화도 볼 수 있다. 아까 인천에서 북경 오는 비행기는 테레비도 없고, 비행기도 여섯 줄짜리 작은 비행기였는데······.

허긴 국제선이라고 국내선 비행기보다 더 크고 좋으라는 법은 없으니······. 그런데도 대부분의 사람들은 으레 국내선보다 국제선 비행기가 더 크고 좋다고 생각하는 편견에 사로잡혀 있다.

북경공항

김해공항 - 김포공항 - 인천공항 - 북경공항 - 곤명공항

사실을 경험하지 않으면 이러한 편견은 잘 깨지지 않는다.

옛날 미국에 있을 때, 국립공원(National Park)은 주립공원(State Park)보다 더 크고, 경치도 더 좋고, 볼 것이 더 많다고 생각했으나, 라스베가스 북동쪽에 있는 벨리 어브 화이어(Vally of Fire) 주립공원을 보고서는 이 생각이 편견이었다는 것을 깨달은 적이 있다. 실제로 벨리 어브 파이어 주립공원은 그 위에 있는 자이언 국립공원(Zion National Park)과 비교해도 손색이 없다.

이를 일찍 경험했던 나도 중국의 국제선 비행기가 국내선보다 못하다는 것을 알았을 때 이상하게 생각했던 것을 보면, 나 역시 아직도 이런 편견에서 벗어나지 못하고 있음을 새삼스레 알게 된 것이다. 에이!

곤명엔 9시쯤 도착 예정이니 아마도 네 시간 비행인 모양이다.

6시에 저녁을 준다. 닭고기와 국수, 쇠고기와 밥인데, 맛은 그저 그렇다.

곤명 창수이공항

1. 공항 관광인가?

6시 40분쯤 되니 해가 꼴까닥 서쪽 지평선 너머로 넘어간다.

이번 여행은 부산 김해공항에서 서울 김포공항으로, 그리고 인천공항에서 북경공항을 거쳐 곤명의 창수이공항으로 오늘 하루 동안 무려 다섯 개의 공항을 거쳐야 하니 이른바 공항 관광이다!

사람들은 비행기를 갈아타는 것보다 직항을 더 원하지만, 우린 갈아타는 것을 더 선호한다.

한 번에 가는 직항은 거리가 먼 경우 10시간, 12시간씩 걸리지만, 갈아타는 것은 두세 시간이나 서너 시간 가서 어느 정도 시간적 여유를 가지고 쉴 수 있고, 걸을 수 있으니, 그만큼 덜 지겹기 때문이다.

김해공항 - 김포공항 - 인천공항 - 북경공항 - 곤명공항

2. 담대하라!

2024년 3월 19일(화)

주내 옆에는 최림 엔터테인먼트라는 회사를 운영한다는 최O이라는 조선족 교포 청년이 앉았는데, 연예인 초청 때문에 출장을 자주 다닌다며 어디로 가시느냐 묻는다.

곤명으로 간다니까 자기 전화기에 저장된 곤명 사진들을 보여주며, 중국에선 카톡이 잘 안 터지니 위챗을 사용하면 좋다고 한다.

사실 이 청년 사업가 말대로 위챗을 깔았어야 했다.

중국에선 중국 정부가 페이스북, 구글, 네이버 등을 막아놓아서 전혀 쓸 수가 없다. 카톡도 메시지를 받는 건 되는데 보내는 건 안 된다.

또한 위챗으로 의사소통을 하기도 하고, 현금 대신 위챗으로 결제하는 경우가 많기 때문에 중국에서 위챗은 필수적이다.

곤명 창수이공항

이런 까닭에 중국에서 위챗을 깔려고 무척 노력했지만 잘 안 깔린다. 결국 깔지 못했다.

그러니 중국 여행 시에는 위챗을 미리 깔고 가시라!

비행기는 8시 50분에 곤명(중국말로는 쿤밍)의 창수이공항에 착륙한다.

그렇지만, 날개 위 좌석이라서 창밖 일몰 사진을 못 찍어 아쉽다.

곤명 전철

비행기에서 내려 나가는 길은 참으로 멀기도 하다. 무슨 공항이 이리 길은고?

전철 타기 전에 만보기를 보니, 공항에서 공항으로 다섯 개의 공항을 이동하며 오늘 걸은 것이 만 보가 조금 넘는다.

공항에서 나오니, 여행사에서 나온 사람들이 곤명 지하철 노선도와 각종 여행패키지가 담겨있는 전단지를 준다.

9시 40분, 공항철도 6호선 전철을 탄다.

곤명

곤명의 지하철은 6시 20분부터 밤 10시 20분까지 운행한다고 하니 딱 알맞게 전철을 탄 것이다.

25분 정도 걸려 당자항(塘子巷)에서 2호선을 갈아타고 교삼교(交三桥 번체로는 交三橋: 번체((繁體)는 전통적 한자인데, 너무 복잡하다 하여 새로 이를 간략히 만든 글자가 간체(簡體)이다.)에서 내린다.

공항에서 교삼교까지 전철표는 일인당 6위안(약 1,150원 정도)인가 준 걸로 기억한다.

이제 걸으며 호텔을 찾는다.

11시가 채 못되었지만 거리는 컴컴하고 쓸쓸하다.

중국 정부가 구글과 네이버 등을 막아놓으니 구글 지도도, 네이버 지도도 안 된다.

자유 여행에서는 지도를 보고 다녀야 하는데, 이들 지도가 안 나오니 참으로 불편하다.

나오는 건 maps.me라는 지도 앱 뿐이다.

maps.me

이 앱은 인터넷이 될 때 미리 방문하는 곳의 지도를 내려받아 놓기만 하면 인터넷과 상관없이 지도가 나오고 내 위치가 표시된다.

뿐만 아니라 고도도 표기되는 까닭에 비행기를 타고 심심할 때 이 앱을 켜면 내가 공중 몇 미터에 떠 있는지도 알 수 있고, 높은 산에 올라갈 때에도 내가 해발 몇 미터에 있는지를 알 수 있는 참으로 편리한 지도이다.

또한 내가 갈 곳을 입력하면, 내비게이션 경로를 표시해줌은 물론이다.

우린 미리 중국 지도를 내려받아 놓았기에 이 maps.me라는 앱을 유용하게 사용할 수 있었다. 이 앱을 만든 분께 감사한다.

혹자는 "중국 지도 앱을 내려받으면 될 것 아닌가?"라고 반문할지 모른다.

그렇지만 중국 지도 앱을 내려받으면 중국 글자로 지도가 표시되는데, 어려운 한자를 쉽게 보급한다고 간체(简体)를 사용하는 까닭에 한자 교육을 잘 받은 나도 가끔가다 잘못 읽을 수가 있다.

더욱이 내가 가고 싶은 곳을 치려면 한자로 쳐야 하니 이게 보통 불편한 것이 아니다.

이런 걸 경험해 보면 우리 한글이 얼마나 우수하고 편리한 글자인지 새삼 느낄 수 있다.

그러니 중국 가시는 분, 우리 한글의 우수성을 느끼고 싶으시면 중국 지도 앱을 깔으시라!

그런데 maps.me 앱을 보고 예약한 곤명골든스프링호텔을 찾는데, 이 좋은 앱도 길거리 골목골목을 정확하게 나타내주지 못하여, 길옆의 가게에 들어가 사람들에게 물어본다.

"골든스프링호텔이 워디여?"

"글씨~. 모르겄는디……."

사람들이 잘 모르는 이유는 호텔의 중국식 이름인 '금천대주점(金泉大酒店)'은 알아도 '골든스프링호텔'은 모르기 때문이다.

곤명

그런데 우리는 금천대주점을 어찌 발음해야 하는지 모른다.

그러니 물어볼 때에는 반드시 호텔예약증을 보여주면서 물어봐야 한다. 예약증엔 비록 한글 예약증이라 하더라도 한자가 병기되어 있으니까.

maps.me 지도만 보고 한 200미터 가다 보니 엉뚱한 방향으로 가는 것을 알았다. 곧, 방향을 잘못 잡은 것이다.

집사람은 걱정이 가득하다.

거리는 컴컴하고 사람들은 별로 없으니 겁이 날 만도 하다.

"중국은 험하다는디……."

"사람 사는 건 어디나 마찬가지여. 당신은 복이 많으니까, 걱정 말아요."

"중국에선 사람을 납치해서 간도 빼고 콩팥도 빼서 팔아먹는다는디……."

"어허, 쓸데없는 걱정! 다 사람 사는 디여. 물론 나쁜 놈들도 있겠지만, 착한 사람들이 더 많혀. 그리고 미리 당겨서 걱정할 필요는 없어유. 하느님 믿는 사람이 무슨 쓸데없는 걱정을 그리하누? 다 인도해주실 텐데. 믿음이 부족하구먼. 그리 불안하면 그냥 기도나 하셔."

"그래도 우리가 미리 대비해야지 그냥 가만히 있으라는 건 아니지요."

그러는데,

"내 머리엔 그저 성경에 쓰인 '담대하라'라는 말만 생각나네……."

다시 교삼교 역으로 되돌아와 제대로 된 방향을 잡고 걷는다. 전철역에서 불과 300미터쯤 떨어진 곳에 호텔 건물이 보인다.

호텔은 쓸 만하다. 벌써 11시가 넘었다.

2. 담대하라!

3. 봄의 도시, 꽃의 도시

2024년 3월 20일(수)

숙소인 곤명골든스프링호텔엔 672.30위안(약 13만 원)에 19일, 20일 이틀을 예약해 놓았다.

한숨 자고 나서 일어나니 6시다. 샤워를 하고 7시에 식사를 한다. 식단은 괜찮다.

곤명은 운남성(중국말로는 윈난)의 성도이다. 인구는 약 450만 명으로 추정된다. 평균 고도 1,890미터의 운귀공원에 있는 도시인데, 늘 봄의 기운을 머금고 있어 춘성(春城) 곧 '봄의 도시'라는 별명을 가지고 있다.

겨울의 평균 최고 기온은 15°C이고, 여름의 평균 최고 기온은 24°C 여서 꽃과 식물이 자라기에 이상적인 환경이라 일 년 내내 꽃이 피어 여행객을 맞이해주는 도시이다.

곤명: 봄의 도시

곤명: 대덕사 쌍탑

14

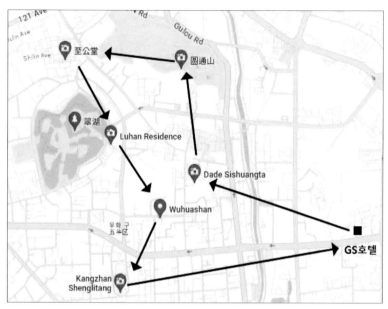

곤명 1일 여행 계획

오늘은 시내 투어가 예정되어 있다.

어젯밤에 도착하였으니 오늘은 슬슬 시내 구경이나 하고 내일 대리(大理 중국말로는 따리)로 떠날 예정이다.

일단 원통사와 취호공원을 목적지로 정하고 오늘 일정을 지도에 담아 본다. 골든스프링 호텔에서 슬슬 걸어 원통사 가는 길에 대덕사 쌍탑을 보고, 원통사 관광을 한 뒤, 윤다(Yunda)대학교의 핵심 건물이자 볼만한 기념물이라는 지공당(至公堂)으로, 그리고 취호(翠湖) 공원을 거닐고, 그리고 역사적 건물이라는 노한공관(卢汉公馆 Luhan Residence 번체로는 盧漢公館이고 중국말로는 루한공관)과 중국 공산당 혁명가의 한 사람인 주덕(朱德)이 살던 집도 보고, 오화산(五华山 Wuhuashan 번체로는

3. 봄의 도시, 꽃의 도시

五華山 중국말로는 우화산) 등을 거쳐 호텔로 돌아오는 여정이다.

그리고 일기예보를 보니 9시에는 흐리나 10시부터 저녁까지는 맑다.

밖을 내다보니, 흐리고 비가 약간 뿌리는 듯하여 침대에 누워 카톡을 한다. 나중 얘기지만, 내가 보낸 메시지는 가지 못한다. 일정을 정해 놓지 않았으니 요런 건 참 편하다.

밖으로 나오니 날은 말짱하다.

일단 슬슬 걸어서 원통사 가는 길에, 지도에 표시되어 있는 대덕사 쌍탑(Dade Sishuang ta)을 보고 가야겠다 싶어 maps.me에서 대덕사 쌍탑으로 가는 경로를 탐색한다.

이 쌍탑은 그리 유명한 것이 아니지만, 원통사로 가는 길에 있으니 보고 가면 좋지 않을까 하여 찾아보기로 한 것인데, 찾기가 힘들다. 지도에는 아파트 한가운데 있는데, 그 입구를 찾기가 힘들어서다.

대덕사 쌍탑

곤명: 대덕사 쌍탑

사람들에게 이리 묻고 저리 물어, 돌고 돌아 결국 대덕사 쌍탑에 당도한다.

그저 가는 길에 슬쩍 보고 가면 되겠거니 했지만, 가는 길은 언덕길인데다 이리저리 골목길을 돌고 돌아갔던 까닭에, 벌써 다리가 노곤하다.

이 탑은 명나라 때, 그러니까 서기 1469년에 지은 것인데, 13층의 처마를 갖춘 높이가 21m인 벽돌탑이다. 1층부터 12층까지는 사방에 벽감이 있고 그 안에 돌부처가 모셔져 있다고 한다.

쌍탑은 정말 아파트 한가운데 있는데……, 도심 속에 곤명의 역사가 숨겨져 방치되어 있는 느낌이다.

허긴 별로 유명한 탑도 아니긴 하겠지만, '이 탑도 옛날엔 사람들이 와서 탑돌이를 하며 소원을 빌지 않았겠나?' 라는 생각도 든다.

이 쌍탑을 둘러싼 아파트 자리엔 분명 절도 있었을 거다. 그렇지만 무슨 독특한 사연이 있는 절이 아니기에 발전의 허울 아래 아파트에 그

대덕사 쌍탑: 동탑과 아파트

3. 봄의 도시, 꽃의 도시

자리를 내주었을 게다.

무엇인가 다른 절이
나 탑들과 다른 점이 있
었다면, 아니, 후세에 알
려져야 할 신기한 전설
이나 이야기거리라도 있
었다면 그냥 역사 속으
로 잊혀지지는 않았을
것이다.지

사람도 마찬가지이
다. 뭔가 보통사람과 다
른 점이 있어야 역사가
기억한다. 보통사람은
그냥 슬며시 역사의 뒤
편으로 사라질 뿐이다.

그렇다고 후세가 기
억하는 건물이나 사람이

운남 벚꽃

다 존중받아야 할 가치가 있는 것은 아니다. 평범한 삶을 살다 간 수많
은 사람의 생(生) 역시 존경받을 만한 가치가 있는 것이거늘……

어찌 되었든 이 세상은 그렇고 그런 모자란 사람들이 만들어나가는
세상이니까.

다시 길을 잡아 원통사(圓通寺, Yuantong Temple)로 향한다.

원통사 가는 길엔 벚꽃이 한창이다. 여기 벚꽃은 빨간색으로 겹꽃인

곤명: 대덕사 쌍탑

곤명 벚꽃

데, 나무에 주렁주렁 달려 있어 거리가 화사하다.

곤명이 '봄의 도시'라는데, 화사한 꽃이 핀 길을 걷다 보니 그 말이 실감 난다. 한마디로 곤명은 '봄의 도시'이자 '꽃의 도시'이다.

가는 길에 과일가게에서 오디를 8위안(약 1,500원)어치 사서 입이 시퍼레지도록 먹는다.

잠시라도 겹벚꽃 아래서 오디를 먹으니 기운이 난다.

4. 모자란 사람들의 짐작일 뿐······.

2024년 3월 20일(수)

얼마 안 가 원통산에 있는 원통사(圓通寺)에 다다른다.

입장료는 6위안(약 1,100원)인데, 65세 이상은 공짜다.

원통사는 1,300여 년 전 당나라 때인 8세기에 지었다는데, 운남 지방에서 제일 오래된, 그리고 제일 큰 불교사원이다.

당, 원, 명, 청의 시대별 건축 양식이 남아 있을 뿐 아니라, 태국, 미얀마 등 주변 국가의 건축 양식과 소수민족의 문화까지 섞여 있어 다양한 볼거리를 제공해주는 절이다.

원통승경(圓通勝境)이라는 현판이 붙어 있는 패루(牌樓 Páilóu: 중국의 전통적 건축 양식의 하나인 문짝 없는 문)를 지나니, 키가 엄청 큰 파초가 사람을 맞이한다.

원통사 드는 길

곤명: 원통사

요게 파초인지, 아님 다른 이름의 식물인지는 잘 모르겠는데, 우람한 덩치에 높은 키, 그리고 펼쳐진 잎새가 근사하다.

절들은 산 중턱에 있는 게 보통인데, 이 절은 원통산 밑에 세워져 있는 절이다.

안으로 들어서면 제일 먼저 눈에 띄는 것이 향불을 사르고 촛불을 켜 놓는 곳이다.

원통사 파초(?)

중국인들은 향을 들고 동서남북 네 방향을 향하여 고개를 숙이며 경의를 표하는데, 북쪽은 부모, 동쪽은 선생, 서쪽은 친구, 남쪽은 가족을 위한 것이라 한다.

이 절 이름인 원통(圓通)은 관세음보살의 32번째 법호 중의 하나로서 "명백하다" "깨닫다" "모든 걸 감싸다" "원으로 통한다"라는 뜻이 들어 있다.

그러니 원통사는

4. 모자란 사람들의 짐작일 뿐…….

원통사 팔각정과 방생지

'모든 걸 포용하는 절'이라는 뜻을 가지고 있는 관음도량(觀音道場)이다.

그래서 그런가? 이 절은 태국, 미얀마, 티베트 사원을 합친 사찰로서 불교 3종(대승불교, 소승불교, 라마교)의 중심지이며, 유, 불, 도교를 함께 모시는 절이라고 한다.

이 절은 못으로 둘러싸여 있는데, 돌다리를 건너면 팔정도(깨달음을 성취하는 여덟 개의 길, 곧 정견 正見, 정사 正思, 정어 正語, 정업 正業, 정명 正命, 정근 正勤, 정념 正念, 정정 正定의 여덟 가지 실천 덕목)를 상징하는 팔각정(八角亭)이 있고, 그 안에는 24개의 팔이 달린 관세음보살을 모시고 있다.

정말로 24개인가 관음보살의 손을 세보니 20개이다.

이상하다! 24개라는데……

자세히 보니 팔 두 개는 배꼽 아래, 위에 있다. 그러면 그렇지!

곤명: 원통사

팔각정: 천수관음 　　　　　　팔각정: 옥불상

　이 팔각정 뒤로 돌아가면 즉심시불(卽心是佛)이라는 현판 아래 옥불상이 모셔져 있다.

　즉심시불이라, '마음이 곧 부처'라는 뜻이렸다! 그러니 마음 밖에서 따로 부처를 찾는 우(愚)를 범하지 말라!

　이 팔각정 뒤로 돌다리를 건너면 이 절의 본당인 원통보전이 있다.

　원래 석가모니 부처님을 모신 법당을 대웅보전이라 하는데, 이 절은 대웅보전 대신에 원통보전이 있다.

　원통보전이라는 이름을 보면, 옛날에 이 법당 안에는 관세음보살을

4. 모자란 사람들의 짐작일 뿐⋯⋯.

모셨을 것으로 생각되나, 그 이름과는 달리 이 안에는 청나라 시대의 좌불상 한 좌가 모셔져 있다. 곧, 이 원통보전에는 앉아 있는 석가모니 부처님이 있고, 그 양옆으로는 10미터 정도 되는 원기둥 두 개에 기어오르고 있는 황룡과 청룡 조각이 이 불상을 옹호하고 있다.

이는 청나라 때 관세음보살상이 파괴된 후, 이를 수리하면서 석가모니 부처님을 모시게 되었기 때문이라 한다.

한마디로 관세음보살이 살던 집에 석가모니 부처님이 관세음보살을 쫓아내고, 설마 쫓아낸 것은 아니겠지만, 들어가 계신 것이다.

원통보전:: 청룡

거 참! 관세음보살로서는 억울하고도 원통할 일일 것이다. 그래서 원통사라 했나? 그러나 이는 오로지 모자란 사람들의 짐작일 뿐이다.

허긴 관세음보살로서는 거기가 거기이고, 내가 곧 부처이고 니가 곧 부처이니 기꺼이 집을 양보한다고 그리 원통해

곤명: 원통사

하거나 애석할 일도 아니리라.

이 절들을 둘러싼 방생지는 절 가운데 있는 못인데, 자세히 들여다 보면 아주 작은 거북이와 물고기가 보인다.

물은 탁한 녹색이며 옆쪽으로 가면 동굴이 있다.

이 원통보전 뒤로 가면 샴 양식의 동불전이라는 절이 있고, 태국 왕이 선물한 친나라트 부처(Buddha Chinnarat)의 복제품인 불상이 있다.

그러나 불상보다는 이국적인 양식의 절 모양이 더 눈을 끈다.

또한 법당 입구에는 뿔 달린 개 모양의 괴수(怪獸)가 두 마리 지키

원통사: 샴 양식의 절

절을 지키는 괴수

4. 모자란 사람들의 짐작일 뿐⋯⋯.

원통사: 방생지

고 있는데 이 과수를 만지면 병이 낫는다고 한다.

그렇지만 이 동물상을 만지는 것만으로 낫는 것이 아니라, 자신의 아픈 부위와 같은 부분을 정성껏 만져야 그 효험이 있다니 한 번 시험해보시라! 예컨대, 허리가 아프면 이 동물상의 허리 부분을 쓰다듬고, 이빨이 아프면, 이 동물의 이빨을 정성껏 쓰다듬으라는 말이다.

이 타이 양식의 절 뒤로 오르면 바로 원통산(圓通山)인데, 여기엔 벚꽃이 흐드러지게 피어 있으며, 곤명 동물원이 이곳에 있다.

한편, 이 태국 절을 지나면, 괴석이 서 있는 꽃밭이 보이고, 곧이어 납하병(衲霞屛)이라는 절벽과 함께 절벽에서 흐르는 물을 받아 놓은 조그마한 못이 나타난다.

이 못 안에는 붉은색 잉어들이 떼를 지어 놀고 있다.

이 납하병 앞쪽에는 관세음보살을 금으로 새겨 놓은 비석이 있고, 그 앞에서 한 여인이 두 손을 머리 위에 모으고 무언가를 빌고 있다.

곤명: 원통사

원통사: 납하병

참으로 볼거리가 많은 절이다.

다시 여기에서 나와 방생지 왼쪽으로 못을 따라 돌다 보면, 울퉁불퉁 파인 괴석과 꽃이 활짝 핀 커다란 화분과 함께 방생지 너머로 팔각정이 보인다.

경치는 끝내준다.

4. 모자란 사람들의 짐작일 뿐······.

5. 배가 고프니 새로운 진리를 발견한다.

2024년 3월 20일(수)

원통사를 나온다.

길 건너로 현대식 건물들 사이에 끼어 있는 목조건물이 특이하다. 목조건물 자체야 사실 특이할 것도 없지만, 양옆으로 콘크리트 건물이 들어서며 샌드위치가 된 듯하여 신기하게 보이는 까닭이다.

길을 따라 지도를 보며 지공당(至公堂)으로 가려다, 시간이 꽤 흐른 것 같아 과감히 생략하고 취호공원(翠湖公園)으로 간다.

취호 근처에는 길거리 음식으로 다양한 간식거리와 바비큐, 특히 오리고기 등이 유명한 음식 거리가 있다는 정보에 따라 출출한 배부터 채우고자 했기 때문이다.

취호공원은 곤명 시내에 있는 곤명 최대 규모의 호수공원이라고 한

원통사 밖 건물

곤명 취호공원

다. 원래는 만(灣)이었는데 호수가 된 것이며, 겨울철이 되면 붉은부리갈매기 등 시베리아 철새들과 바다 갈매기 수천 마리가 추위를 피하여 내륙 지방인 이곳으로 날아와 봄이 되면 돌아간다고 한다.

이 공원은 네 개의 호수와 네 개의 인공섬으로 조성되어 있는데, 이 섬들은 다리로 이어져 있어 도보로 이동할 수 있다.

별도의 입장료는 없으며 산책하기 좋은 장소라서 늘 사람들이 많다.

이 공원은 버드나무 숲과 대나무 숲 그리고 연꽃 등이 피어 있고, 소수민족의 춤을 볼 수 있는 곳이며, 버스킹을 하는 라이브 음악도 들을 수 있는 곳이어서 시간을 보내기에는 딱 좋은 곳이다.

또한, 아침에는 댄스뿐만 아니라 배드민턴이나 태극권으로 건강을 지키는 사람들을 볼 수 있다고 한다.

주변엔 기념품과 현지 음식을 파는 작은 상점들이 많고, 조명이 잘 되어 밤에 특히 아름답다고 한다.

취호공원 입구

5, 배가 고프니 새로운 진리를 발견한다.

한편 여기엔 모기가 많다는데, 아직 모기가 나올 철은 아닌 듯하여 안심이다.

이 이외에도 윤다 (Yunda)대학교의 핵심 건물이자 볼 만한 기념물인 지공당과 중국의 공산당 정치가이자 혁명가인 주덕(朱德 중국 발음은 주더: 인민해방군 10대 원수 중 한 사람)이 살던 주덕구거(朱德舊居)라는 집과 역사적 건물인 루한공관(卢汉公馆) 등도 볼 만하다고 한다.

취호공원 대숲

그렇지만 원래 계획과는 다르게 지공당도 생략하고 바로 취호로 왔는데, 호숫가 길 건너편으로 루한공관과 주덕구거가 보이지만, 그냥 이것도 과감히 생략해버린다. 금강산도 식후경이라 했느니…….

그래도 언제 점심을 먹을지 몰라 원통사를 나오면서 금귤을 7원어치 사서 먹은 게 그나마 다행이다.

유명 인물이 살던 집을 보면 뭐 하나? 집 안이야 다 그렇고 그렇지

곤명 취호공원

30

취호공원 꽃

뭐~. 그리고 사실 난 건물보다는 자연 경치를 선호한다.

취호로 들어서니 과연 경치는 좋다.

쭉쭉 뻗은 대나무 숲이 시원하고, 화장실도 깨끗하다.

그렇지만 밥 때를 놓쳤으니 배가 너무 고프다.

아까 먹었어야 했는데, 사전 정보와는 달리 먹을 만한 음식점을 발견하지 못했기 때문이다.

때를 놓치면 힘든 법이다. 밥이든 기회이든!

시원한 대숲을 지나고, 정자도 지나고, 호수 위에서 노니는 백조와 흑조도 보았지만, 그리고 종탑 같은 건물에 분홍색 꽃들이 무리를 지어 기어 올라가며 사람들을 유혹하지만, 배고픈 것은 가시지 않는다.

세상에 아무리 아름다운 것도, 사람의 가슴을 울리는 감동적인 장면도, 그리고 공자님, 예수님 말씀도 고픈 배는 어쩌지 못한다.

사람들이 빵으로만 살 것은 아니나, 빵 없이는 살지 못한다는 것도

5, 배가 고프니 새로운 진리를 발견한다.

진리 아닐까?

배가 고프니 새로운 진리를 발견한다.

이곳저곳을 둘러보지만 안 되겠다 싶어, 그냥 서둘러 취호공원 서문으로 나와 사람들이 붐비는 음식점으로 들어간다.

그렇지만 30분을 기다리란다. 사람들이 많으니 음식은 맛있으려니 생각하고 기다린다.

기다렸다가 간신히 탁자 한 귀퉁이를 차지하고 앉아 소고기 튀김과 오리고기 요리를 시켰는데, 튀김은 괜찮으나 오리는 향이 거슬려 못 먹겠다. 여기선 오리고기가 유명하다는데…….

외국 여행을 할 때 유럽이든 남미든 중앙아시아든 중국집에 가면 대체로 비위 상하지 않게 음식을 먹을 수 있다. 그런데 왜 하필 본토인 중국의 중국음식점 음식은 이리도 기름지고, 이상한 향기가 나는 걸까?

참으로 아리송하다.

취호공원 버들

곤명 취호공원

별로 입맛에 안 맞는 점심을 먹고는 이제 호텔로 돌아가야 한다.

호텔로 가는 길에 주내는 심 카드를 전화기에 넣기 위해 전화기 파는 가게를 찾는다.

큰 길가에는 'OO통신' 등 통신회사가 많다. 5G라는 광고판과 함께.

그렇지만 가서 물어보니 심 카드를 팔지 않는다며 다른 데를 가르쳐 준다. 그래서 또 가 보니 또 다른 데를.

이리저리 왔다 갔다 하다가 이제 그냥 지쳐버린다.

이럴 줄 알았으면 공항에서 심 카드를 사서 넣고 올 걸! 공항에선 심 카드를 한 달 쓰는데 100위안(약 2만 원)이랬는데…….

사실 공항에서 파는 심 카드는 좀 비싸다는 느낌도 있고, 심 카드 교체하다 전철을 놓치면 안 될 것 같아 시내에 있는 통신회사에서 사면 되겠지 싶어 그냥 온 것이다.

그렇지만 난 그 필요성을 못 느낀다. 호텔에선 심 카드가 없어도 인터넷이 되니까. 그렇지만 주내는 심 카드가 없으면 무척 답답해한다. 주내는 무슨 일이 있어도 심 카드를 교체하겠다고 한다.

그 고집을 누가 꺾으랴!

결국 헤매고 헤매다가 어느 곳에선가 40기가에 10일 쓰는 심 카드를 50위안 주고 장착한다.

이런 걸 보면 주내는 의지의 한국인이다!

심 카드 때문에 오후 한나절을 보낸 것이다. 원래 계획했던 오화산 (五华山 Wuhuashan)도 그냥 지나치고, 아니 그냥 지나친 게 아니라 그 곳을 지나왔는지 안 지나왔는지도 모른다. 너무나 다리도 아프고 통신회사 찾는다고 지쳤기에 말이다.

5, 배가 고프니 새로운 진리를 발견한다.

다만 이리저리 헤매다 보니, 길 건너편으로 고딕 건축 양식의 전통적인 교회 건물이 눈에 들어와 사진을 찍는다.

나중에 알고 보니 곤명 국제개신교 교회라고도 하는 삼일국제예배당(三一国际礼拜堂 Sanyi International Church)이다.

이 교회는 1903년에 지은 것으로 높은 첨탑과 복잡한 디자인이 매력적인 교회라는데, 들어가 보지는 않았다.

다리가 아픈데 뭘~!

여기서 호텔까지 어찌 가나? 거리를 재보니 또 30분을 걸어야 할 것 같은데 너무 지친다.

에라, 모르겠다. 그냥 택시를 잡는다.

이럴 때 우린 결단력이 빠르다.

택시 10위안이 기본요금이라는데, 13위안(약 2,500원)이 나왔다.

오늘 오후 관광은 그놈의 심 카드 때문에 삼일국제예배당 건물을 길 건너에서 슬쩍 본 거 뿐

삼일국제예배당 건물

곤명 취호공원

이다.

여하튼 계획대로 되는 건 없다.

호텔에 들어가 피곤한 몸을 뉘었다가, 아무래도 독한 술이나 한 잔 마시고 자야겠다 싶어 다시 나와 슈퍼마켓을 찾는데 보이지 않는다.

오늘은 다리 아픈 날인가 보다.

결국 대리(大理)에서 나온 술 일품곡(一品斛: 이곳 발음으로는 이핀후)을 18위안(약 3,500원)에 사 가지고 호텔로 돌아온다. 125ml짜리인데 도수는 46도 증류주이다.

그리고 돌아오는 길에 돼지족을 20위안(약 4,000원)에 산다.

오늘 저녁은 누룽밥과 돼지족에 일품곡 한 잔이다.

중국 온 지 얼마나 되었다고 벌써부터 우리 음식이 그리워지는 걸까? 그나마 누룽지를 몇 개 가지고 온 것이 다행이다.

5, 배가 고프니 새로운 진리를 발견한다.

6. 원래 우리 몸에 좋은 건 맛이 없는 겨~.

2024년 3월 21일(목)

이침 4시 반에 일어난다.

짐을 꾸리고, 체크아웃하러 가니 6시이다.

오늘 7시 29분 곤명을 출발하여 9시 35분 대리(大理 중국 발음으로는 따리)에 도착하는 열차표를 그저께 끊어 놓았기 때문이다.

열차표는 trip.com에 들어가 끊으면 된다. 주내와 나 두 사람 기차표에 수수료 포함 47,780원이 들었으니 일인당 24,000원 꼴이다.

호텔에서의 아침 식사는 7시부터라는데 호텔비에 조식을 포함해 지급했지만 시간이 없으니 먹을 수 없다.

프런트에 아침을 못 먹는다고 하자, 6시 30분부터 들어가도 된다고 한다. 주내는 요구르트만 하나 들고 얼른 나오자 한다.

곤명 기차역

곤명 - 대리

6시 반에 식당으로 들어가 베이컨 세 조각과 시리얼 한 컵을 먹는다. 그리고 부리나케 나오니 6시 40분이다

택시를 타고 곤명 기차역에 도착하니 택시비는 16위안, 약 3,000원 정도 나왔는데 10분도 채 안 걸렸다.

역으로 들어가기 전 옥수수 하나를 산다. 5위안(약 1,000원).

역에 들 때는 짐과 여권을 검사한다. 그리고 검사를 마치고 들어가면 전광판에 타고 갈 열차의 개찰구가 표시된다.

살펴보니 우리는 6B이다. 6B 개찰구엔 벌써 사람들이 바글바글하다.

저쪽 왼쪽 줄에는 몇 명 안 서 있는데, 읽어보니 학생, 외국인 등이라고 되어 있다. 물론 한자로만 쓰여 있다.

개찰구에선 또 여권 검사를 한다. 여권 번호를 컴퓨터에 기입하여 확인한 후 통과시킨다.

차표 검사는 안 한다. 허긴 열차를 타고 지정 좌석에 앉아 있으면

곤명 기차역

6. 원래 우리 몸에 좋은 건 맛이 없는 거~.

차장이 인터넷으로 검색하며 지나가면 되는 시대이니……

사람들은 대체로 순박하다. 그런데 검문검색은 왜 이리도 철저한지 모르겠다.

결국 소수의 나쁜 놈들 때문에 선량한 사람들이 피해를 입는 거다.

드디어 2호 차 4A, 4B에 앉는다. 좌석은 일 열에 다섯 개 곧, 세 개, 통로, 두 개로 되어 있는데, 우리 좌석은 세 개짜리이다.

에이, 두 개짜리가 좋은데……

열차는 고속열차인 화계호이고, 대리까지는 2시간 정도 걸린다.

오전 7시 29분, 기차는 출발한다.

속도는 192km/hr 정속 주행이다. 아니, 한 20분쯤 지나니 187, 185. 171로 떨어지더니 다시 198로 올라간다.

산은 높고, 굴도 많고, 길기도 길다.

사람 사는 건 어디나 다 똑같다. 창밖의. 이 산골에서도 집 짓고 농사지으며 살아간다. 특별한 경치는 아니다.

8시 20분 꽝퉁베이. 고도는 1,778미터로 표시된다.

반쯤 온 듯하다. 다시 출발!

추시옹[楚雄 8시 33분 도착, 1,776m, 외부 온도 섭씨 18도, 대리(大理)까지는 173km 남아 있다고 전광판에 표시된다.

바깥 경치는 그저 그렇고, 심심하니 객차 안의 안내판에 나오는 열차 속도 등만 쳐다보고 있다.

9시 33분, 드디어 대리 도착.

대리는 백족(白族 중국말로는 바이족) 자치구로서 옛스러운 고대 중국의 정취를 맛볼 수 있는 곳이다.

38

대리에서 나는 돌이 대리(大理)의 이름을 딴 대리석이며, 옛날 대리국(大理國)이 있던 곳으로, 김용(金庸)의 유명한 소설 천룡팔부(天龍八部)의 무대가 되는 곳이다.

대리고성 근처의 Z Garden 호텔을 예약해 놓았기에, 이제 대리 역에서 대리고성(大理古城) 가는 버스를 타려고 두리번거리는데, 버스 5위안(약 1,000원)이라는 표지를 들고 있던 미스 주라는 아가씨가 우리에게 와서는 우리말을 한다.

"안녕하세요?"

"이 버스를 타면, Z Garden으로 갈 수 있나요?"

"Z Garden으로 가려면 경무정(경찰서. 공안) 앞으로 가 4번 버스를 타고 문헌로에서 내리면 돼요. 우리 버스는 짐 때문에 안 되구요."

참으로 고마운 아가씨이다. 버스표는 어디서 사냐고 묻자 돈을 운전수에게 주면 된다며 둘이서 6위안(약 1,200원) 주면 된다고 한다.

시내 버스표는 일인당 3위안(약 600원)인 셈이다. 참 싸다!

가르쳐 준 대로 경무정 앞으로 가니 마침 출발하려는 4번 버스가 있다. 4번 버스를 타고 문헌로를 묻지만, 내가 중국 발음을 모르니 사람들은 못 알아듣는다.

그러니 maps.me에 의지할 수밖에 없다. maps.me에서 문헌로를 목적지로 치니 현재 버스가 가는 길이 표시된다.

참말로 좋은 앱이다. 요 지도만 보고 내리면 된다.

드디어 문헌로 버스 주차장에서 내린다.

다시 maps.me 지도를 보며 미리 예약해 놓은 Z Garden이라는 민박집을 찾아간다. 골목골목을 돌아 드디어 Z Garden에 도착하여 체크

6. 원래 우리 몸에 좋은 건 맛이 없는 겨~.

인을 하고 1층에 있는 방으로 들어가 짐을 푼다.

어제 그제 이틀 전 곤명의 골든스프링 호텔은 그런대로 나쁘진 않았으나, 프런트에 있는 세 명의 아가씨들이 전혀 영어를 하지 못해 의사소통에 애를 먹었는데, 이 집의 젊은 주인은 영어를 할 줄 알기에 일단 숨통이 트인다.

방도 좋다. booking.com에서 56,971원에 예약해 놓았는데, 어떤 고급호텔의 스위트룸보다도 낫다. 방도 넓고 천정도 높아 시원하다. 무엇보다도 옷장이며, 세면대며, 화장실이며, 조명이며 집주인이 직접 신경을 쓴 것인지 참으로 편리하게 잘 갖추어 놓았다.

내가 지금까지 돌아다니며 자 본 호텔 중 제일 좋은 곳이다. 다시 온다면 꼭 여기에 머무를 것이다.

일단 짐을 풀고, 점심을 먹어야 한다. 집주인인 왕 사장에게 물으니 요 밖으로 나가 왼쪽으로 돌아가면 큰길을 만나는데 그 모서리에 있는

대리고성: 남문

40

대리고성 남문 밖 식당 팔목헌

팔목헌(八木軒 중국 발음으로는 빠무셴)이라는 식당이 잘한다고 알려준다.

일러준 대로 팔목헌으로 가 일단 배를 채운다.

식당은 깔끔하고 음식도 정갈하다. 버섯볶음밥(19위안: 약 3,800원)과 채소무침(30위안: 약 6,000원)을 한 접시씩 시킨다.

가져온 볶음밥엔 흑홍로버섯 등이 들어간 것인데, 약간 향기가 나 조금 거북했으나 이제 적응이 되었는지 그럭저럭 먹을 만하다.

완전 보양식이다!

'원래 우리 몸에 좋은 건 맛이 없는 겨~'라고 생각하며 먹는다.

그런데 양이 무척 많아 주내와 둘이 논아 먹고도 반 이상이나 남겼다. 이 몸에 좋은 것을……

아깝지만, 아무리 좋은 거라도 지나치면 해가 되는 법이다.

음식값은 우리나라와 비교해 무척 싸다. 이 둘의 가격이 모두 합쳐 우리 돈으로 만 원도 채 안 된다.

6. 원래 우리 몸에 좋은 건 맛이 없는 겨~.

거리엔 폭죽 소리와 함께 사람들 행렬이 지나간다.

이제 배를 채웠으니 Z Garden의 왕 사장이 일러준 대로, 대리고성(大理古城)의 남문 옆에 있는 버스 정류장으로 간다. 오늘 오후엔 달리의 숭성사(崇聖寺) 대리삼탑(大理三塔)을 보러 갈 예정이기 때문이다.

대리고성은 이 음식점에서 내다보면 보이는 거리에 있다.

일단 버스터미널에서 숭성사(崇聖寺) 삼탑(三塔) 가는 버스표를 산다. 버스비는 일인당 3위안(약 550원)이란다.

버스는 2시에 있으니 40여 분을 기다려야 한다.

기다리는 동안 남문을 기웃거린다.

버스를 타고 숭성사로 가기 전에 대리고성이나 둘러보아야겠다 싶어 남문으로 들어간다.

남문으로 들어가며 왼편을 보니 창산이 보인다. 정말 높은 산이다. 산 위에 눈도 보인다. 길가에는 붉은 벚꽃이 피어 있고, 거리에는 사람

대리고성 오화루: 사람들

들이 가득하며 활기가 넘친다. 사람들은 인산인해다. 거의 전부가 관광객이다. 무릉도원이 따로 없다.

대리고성의 남문 앞으로 가니 빨간색의 겹벚꽃이 활짝 피어 있고, 평일인데도 사람들과 자동차로 북적이고 있다.

고성 안에는 목조로 된 옛집들이 늘어서 있는데 대부분이 상가이다.

이곳저곳을 끼웃거리며 걷다 보니 소수민족의 옷을 입은 예쁜 처자가 과일을 사고 있어 사진을 찍는다.

사진기를 들이대니 폼을 잡아 준다.

고맙다.

길거리 좌우에 상점들이 가득 차 있고 과일, 기념품. 옷, 술. 장신구 등 다양한 것들을 판다.

거리 구경을 하며 보니 대낮이라 등불을 밝히진 않았지만, 각종 등들이 거리를 장식하고 있다.

이따가 밤에 나오면 멋있을 거다.

대리고성 안의 처녀

6. 원래 우리 몸에 좋은 건 맛이 없는 겨~.

대리고성 안 상가 등

어떤 가게 앞에 웬 누런색 털이 복슬복슬한 이름 모를 동물이 있어 카메라에 잡아넣는다.

개인지? 아님 개 닮은 동물인지?

대리고성 안 개?

곤명 - 대리

7. 그래도 공짜가 좋다.

2024년 3월 21일(목)

이제 버스터미널로 가 두 사람 버스비 6위안(약 1,200원)을 내고 숭성사(崇聖寺) 가는 버스를 타고 숭성사에 내린다.

숭성사는 한자로 '崇圣寺'라 되어 있어, 처음에는 '圣'자를 '성스러울 성'자의 간체(簡體: 기존 한자를 간략하게 만든 한자)인 줄 모르고 지하수 경(巠)자의 간체인 줄로 생각하여 숭경사로 읽었는데, 절 앞 매표소에 번체(繁體: 전통적 형태의 기존 한자, 정체(正體)라고도 함)로 숭성사(崇聖寺)라고 쓰여 있어, 그제서야 숭성사인 줄 알았다.

흐, 옛 한자 공부 다 헛거다! 다시 간체를 익히고 외워야 하니 말이다.

숭성사 삼탑의 입장료는 75위안(약 15,000원)이고, 반값은 37위안(약

숭성사 삼탑 입구

숭성사 삼탑

7,500원)이라는 한글 표지판이 보인다. 친절하게도 한글 표지판이다. 얼마나 한국 관광객이 많이 오면 이런 표지판이 있을까!

경로가 반값인가 하여 물어보니 패스포트를 보여 달란다. 그러더니 그냥 들어가면 된다고 한다. 그러니까 우리는 공짜인 셈이다.

졸지에 150위안(약 30,000원)을 벌은 듯하여 감격이 절로 인다.

알고 보면, 70세 이상은 있는 듯 없는 듯 죽은 사람이나 똑같이 취급해준 건디⋯⋯.

그래도 공짜가 좋다!

이제 정문으로 가 여권을 보여주고 들어간다.

들어오니, 아니 들어 오기 전부터, 유명한 대리삼탑이 보이는데, 문을 들어서니 또 버스가 있다.

상행은 20위안(약 4,000원), 하행은 15위안(약 3,000원), 왕복 35위안(약 7,500원)인데, 요건 경로가 없단다.

숭성사

숭성사

여기선 제대로 된 사람 대접이다.

아마도 상행은 짐작컨대 오르막인 듯하다. 그래서 상행표만 사서 버스에 오른다.

버스는 오르막을 한참 오르다가 숭성사로 오르는 계단 아래 광장에 서니 사람들이 우르르 내린다.

우리도 따라 내려 숭성사로 들어간다.

절로 들어서니 좌우로 못이 나오고, 풍경이 꽤 볼 만하다.

좌우의 연못에는 커다란 바위들이, 정말로 커다란 바위들이, 못을 차지하고 있고, 녹색 물속에는 고기와 거북이가 헤엄치고 있다.

이를 지나 계속 위로 오른다.

주내는 안 간다며 그늘에 앉아 있겠단다.

나는 계속 오른다. 일단의 관광객들이 깃발을 따라 가이드를 따라다니며 설명을 듣고 계속 오르는 걸 보며 따라서 오르는 거다.

7. 그래도 공짜가 좋다.

숭성사 못

계단을 오르면 천왕전, 또 계단을 오르면 미륵전, 그리고 또 계단을 오르면 관음전, 또 계단을 오르면 대웅보전, 계속 오르막길이다.

산비탈을 오르면 나타나는 절집은 올라갈수록 점점 더 커지고 웅장

숭성사 관음전

숭성사

숭성사 천왕전 숭성사 관음전: 천수관음

해지지만 그만큼 더 다리가 고생한다.

날은 덥고, 다리는 아프고.

전부 주황색 기와를 얹은 큰 집들이 있고, 그 좌우로도 나한전 등 건물이 있는데, 크게 볼 건 없다.

그렇지만 깨달음을 얻으려면 계속 끝까지 오르시라!

그래도 깨달음이 없다면 스스로 부족함을 탓하시라. 날 원망하시질 말고!

한참 동안 땀을 뻘뻘 흘리며 올라갔다 내려온 나에겐 깨달음이 있

7. 그래도 공짜가 좋다.

다. 고건 '주내가 역시 현명했다.'는 거다. 곁들여 다리가 아픈 것도 덤으로 알았다.

그렇지만 이런 깨달음은 별 소용이 없다. 난 깨달음보다 그냥 현세의 즐거움이 더 좋다. 아까 본 대리고성 안의 세속적인 풍경이 훨씬 더 마음에 든다.

'그려~, 역시 나는 속물이구나!'

요거야말로 큰 깨달음이다.

그런데 한참 올라가다 결국 다리도 아프고 덥기도 하여 대웅보전만 밑에서 올려다보고는 내려온다. 그렇지만 빠꾸는 잘 안 하는 성격이라, 올라온 가운데 계단길이 아니라 오른쪽으로 가서 내려갈 새 길을 찾는다.

그런데 오른쪽 숲 저쪽으로 아까 탔던 버스가 올라오고 있다. 20위 안 내고 오르는 상행선 종점은 아까 숭성사 입구가 아니라 여기 대웅보

숭성사 대웅보전

숭성사

숭성사 마니차

전 뒤인데 아까 종점인 줄 잘못 알고 내린 듯하다. 에이~.

여기 오셔서 진동차를 타시게 되면 절대 중간에 내리지 마시고 꼭대기 종점까지 가시라! 그리고 그곳에서 슬슬 구경하며 내려오시라. 그래야 20위안어치 값어치를 하는 거다.

오른쪽 길로 내려가다 보니 누런 황금색으로 칠해진 드럼통이 다섯 개나 보인다.

"누가 여기에 드럼통을 놓고 황금색 칠을 했누?"

"드럼통이라니 무식하게!"

"……"

"요건 마니차라는 건디, 티베트 불교인 라마교의 범구(法具)여. 한자가 어려워 불경을 읽지 못하는 사람들을 위해 마련해 놓은 거여! 요걸 한 번 돌리면 불경을 한 번 읽은 걸루 쳐준댜."

7. 그래도 공짜가 좋다.

8. 대리삼탑을 세운 이유

2024년 3월 21일(목)

마니차가 있는 곳을 지나, 어쨌든 주내가 기다리는 곳으로 내려간다. 주내는 한참 기다렸다고 한다. 그늘에 앉아 귤을 하나 까먹으며.

참 좋은 팔자다!

이제 내려가야 하는데, 버스를 타려면 또 15원을 내야 한다. 그러면 숭성사 삼탑을 보러 다시 올라와야 한다.

그런데 다행히 버스는 숭성사 삼탑 앞에서 내려 준다.

탑들을 보기 위해서 다시 발품을 판다.

숭성사 삼탑은 대리삼탑이라고도 알려진 대리의 상징이다. 대리의 랜드마크라 할 수 있는 세 개의 탑인데, 9세기 중엽 남조국(南詔國) 시대에 건립된 것으로서 운남에 현존하는 가장 오래된 건축물이다.

숭성사 대리삼탑

숭성사 대리삼탑

숭성사 삼탑: 중앙   숭성사 삼탑: 오른쪽

옛날에 대리는 용들이 싸우던 곳이어서 홍수가 많이 났기에, 이를 방지하기 위해 이곳에 탑을 세웠다는 전설이 전해 내려오고 있다. 곧, 용은 탑을 공경하기 때문에 탑을 세움으로써 싸움을 일으키지 않게 되었고 홍수를 막을 수 있었다는 전설이 내려오고 있다.

이 세 탑은 히말라야 산맥 끝자락에 있는 창산(蒼山) 응악봉을 배경으로 가운데에 기단부의 폭은 33.5미터, 탑신의 밑면은 9.9미터, 높이는 69.13미터의 16층탑과, 그 뒤 좌우에 각각 42미터 높이의 10층탑으로 구성되어 있다.

8. 대리삼탑을 세운 이유

가운데 탑은 천수탑이라고도 부르며, 남북으로 그 뒤에 있는 두 탑과는 각각 70미터 정도 떨어져 있다.

주탑인 천수탑은 대리 지역의 전형적인, 촘촘한 처마 양식의 지붕을 이고 있는 사각형 벽돌탑이고, 남북에 있는 두 탑은 팔각형으로 된 벽돌탑이다.

그동안 수많은 전쟁과 약 30여 차례의 지진에도 불구하고, 1,200여 년을 견딘 탑이다. 남북 두 탑이 조금 기울기는 했지만…….

앞에는 얼하이 호수와 뒤에는 창산을 배경으로 배산임해의 멋진 자리에 탑들이 서 있는데, 맑고 푸른 하늘과 거대한 산을 배경으로 세 개의 탑이 멋지긴 정말 멋지다. 세계적으로 유명하다는 말이 실감난다.

사람들은 요걸 보러 여길 오는 거다. 물론 탑 앞에서 신실하게 기도하는 분도 있다.

그렇지만 여기에서 세 탑을 찍으면 역광이고 세 탑이 한꺼번에 안

숭성사 삼탑.

숭성사 대리삼탑

나 온

숭성사 삼탑: 중앙탑과 와명석

8. 대리삼탑을 세운 이유

다. 결국 세 탑을 찍기 위해서는 다시 걸어 올라가야 한다.

주내는 밑에서 기다리고, 예술혼에 불타는 나는 좋은 사진을 찍기 위해 아픈 다리를 질질 끌며 다시 계단을 오른다.

큰 탑 뒤에는 돌로 된 개구리가 한 마리 창산을 향해 앉아 있다.

돌에 새긴 이름을 보니 와명석(蛙鳴石)이니 개구리 울음소리가 나는 돌인가? 그리고 요건 왜 세웠을까?

누가 얘기해주는 사람도 없으니 궁금하기 짝이 없다.

탑 옆으로 가까이 가니 엄청 큰 탑들이다.

그렇지만 세 탑을 한 장면에 넣으려면 다시 계단을 또 올라 종탑까지 가야 한다.

종탑 가기 전엔 좌우에 유물 등을 전시하는 전시관이 있다. 하나는 도자기와 천을, 다른 하나는 출토된 불상 따위를 전시해 놓은 전시관이다.

숭성사 삼탑 무형문화전시관

숭성사 대리삼탑

전시관을 둘러 본 후 다시 계단을 올라 종탑으로 간다.

그리고는 되돌아서서 세 탑을 집어넣어 사진을 찍는다.

이제 내려가야 하는데, 빠꾸는 싫으니 내려오며 왼쪽 숲으로 들어선다.

큰 바위에 취영지(聚影池)라고 새겨 놓았다.

아까 버스 타고 내려오며 '여기서 세워달라고 할 걸!' 했던 호수이다. 여기서도 세 탑이 멋지게 보인다.

취영지란 '그림자가 모이는 못'이라는 뜻인데, 이 못에선 물결에 흔들리는 모습의 대리삼탑 그림자를 볼 수 있다.

사진기에 잡아넣고 주내가 기다리는 곳으로 온다.

그늘에 앉아 아이스케키를 사서 먹으니 살 것 같다.

이제 밖으로 나간다.

들어왔던 문은 입구일 뿐이고, 출구는 남북의 두 개 출구가 있어 남

숭성사 취영지: 삼탑

8. 대리삼탑을 세운 이유

숭성사 창산과 삼탑

쪽 출구 화살표를 따라간다.

화살표를 따라 출구로 나오다 보니, 여기에도 조그만 못이 있고 그 뒤로 세 탑이 볼 만하다.

아니 이곳 어디에서든 세 탑은 볼 만하다.

주내를 앉혀 놓고 사진을 찍는다.

남문 출구에서 버스 타는 곳으로 내려오는 길은 상가들이 줄지어 서 있다.

반 팔 면티를 30위안(약 6,000원) 주고 산다.

그리고는 버스를 타고 대리고성 남문에 내려 걸어서 호텔로 돌아온 다.

숭성사 대리삼탑

9. 노루궁뎅이 엄청 먹었다.

2024년 3월 21일(목)

시간은 6시가 채 안 되었는데, 방에서 쉬다가 저녁 먹으러 나가 저녁을 먹은 후 밤에 야경이 볼 만하다는 대리고성을 둘러볼 계획이다.

밤이 더 재미있고 멋있었다니까!

일단 흘린 땀부터 씻어내자. 샤워를 하고 나니 몸이 개운하다.

전화기의 배터리를 충전한다.

샤워 후 침대에 누워 카톡을 체크한다. 들어오는 소식은 어느 정도 되는데, 내보내는 소식은 잘 안 된다. 거 참!

7시인데도 날이 훤하다. 한국은 저녁 8시일 터인데……. 여기가 1시간 시차이지만 지구 서쪽으로 많이 왔기에 그런 거다.

8시가 넘어 컴컴해지자 저녁도 먹을 겸 거리 구경을 나선다.

대리고성 야경: 오화루

대리고성 야경

집주인이 알려 준 팔목헌으로 간다.

남문촌 거리는 길거리 음식 장사들과 관광객들로 떠들썩하니 활기가 넘친다.

무얼 먹을까 하다가 버섯 샤브샤브를 시킨다. 이곳이 높은 산지라서 버섯이 특산물이니까.

노루궁뎅이 버섯, 흑송로버섯 등 한국에선 보기 힘든 버섯들이 한 소쿠리, 그리고 오골계가 한 접시 나온다. 시커먼 게 뭔지 몰라 물어보니 닭이라 한다.

시커먼 닭이니 오골계이다.

시커먼 모습에 주내는 안 먹는다고 하니 돼지고기로 바꾸어 주겠단다. 시도해 볼 테니 반만 돼지고기로 바꾸어 달라고 한다.

이제 육수를 15분 동안 팔팔 끓인 후, 버섯을 통째로 넣는다.

그리고는 젓가락으로 버섯을 건져 먹는다.

대리고성

팔목헌: 버섯 샤브샤브

버섯 맛은 모르겠으나, 육수는 참 맛있다.

"버섯만 먹고 배가 부르겠나?"라는 생각이 든다면, 그건 잘못된 생각이다.

계속 건져서 입에 넣는데, 양이 정말 많다. 노루궁뎅이도 질리도록 먹었다. 흑송로버섯도, 붉은 싸리버섯 같은 것도, 그리고 이름 모르는 버섯들도.

여기에 시커먼 닭고기 덩어리도 넣어 익혀 먹는다. 먹어보니 오골계가 맞다.

이건 완전 보양식이다.

몸보신하려면 운남으로 오시라!

얼마인가 물어보니, 118위안(약 23,000원)이라 한다.

"메뉴판에는 158위안(약 30,000원)이라는데?"

그러자 직원은 전화기에 118위안이 할인 가격이며 2인분이라고 적어준다. 감사할 일이다.

9. 노루궁뎅이 엄청 먹었다.

맛은 그럭저럭이지만, 여하튼 노루궁뎅이는 실컷 먹었다.

천천히 먹다 보니 10시가 다 되어 간다.

주내는 계산을 마친 후, 이 집 2층으로 올라갔다 오더니 나를 잡아 끈다.

올라가 보니 2층은 천정에 온갖 꽃들로 화려하게 장식해 놓았다. 먹지 않고 보기만 해도 좋다.

이제는 대리고성에 가서 사람들 구경을 해야 한다.

거리는 노점상들이 고기 굽는 냄새가 코를 찌르고, 사람들은 왁자지껄이고

대리고성 남문 역시 휘황찬란하다.

남문을 지나면 옛성 안인데, 여기에는 노점상이 없지만 좌우에 가게들이 즐비하고, 역시 사람들이 북적인다.

가다 보니 한복을 입은 여인도 보이는데, 한국 사람은 분명 아니다.

팔목헌 2층

대리고성

대리고성 야경: 남문

이곳에선 소수민족의 옷들을 놓고 잠시 빌려주는 의상대여업이 성업 중이다. 주로 젊은이들, 특히 신혼여행을 온 신혼부부들이 추억을 남기기 위해 소수민족의 옷을 빌려 입고 사진을 찍는다.

대리고성 야경: 등

9. 노루궁뎅이 엄청 먹었다.

대리고성 야경: 등

여하튼 백족 등 소수민족 옷을 입은 사람도 가끔 눈에 뜨인다.

여하튼 관광객이 많기도 하다. 낮보다 두 배는 더 많다.

무엇보다도 휘황찬란한 조명등이 눈길을 끌고, 사람들은 사진을 찍기 바쁘다.

여기 기웃, 저기 기웃, 다리가 아프다.

11시가 넘어 호텔로 돌아와 자리에 눕는다.

호텔은 최고다!

친절하고, 정원도 좋고, 방도 넓고, 시설도 좋다.

10. 사람들이 북적거려야 제맛이 나는 건데…….

2024년 3월 22일(금)

아침 6시 반에 일어나니 비가 살살 내린다.

일기예보를 보니, 9시부터는 개기 시작하여 10시부터는 하루종일 청명한 날씨라고 한다.

8시에 아침 식사를 한다.

아침 식사는 쌀국수인데, 깔끔하고 괜찮다. 맛있다.

앉은 좌석 옆으로는 붕어가 헤엄치고, 물풀과 갈대가 운치가 있다. 그 옆으론 어린이 놀이터도 자그마하게 마련되어 있고, 식당 한편에는 벽난로도 있어 겨울에 와도 좋을 듯하다.

우리 방엔 베란다도 있어 정원을 보면 경치가 좋다.

방에서 나가면, 당구대가 놓여 있어 포켓볼을 칠 수도 있다.

여하튼 민박집이지만 시설은 잘해 놓았다.

아침을 먹고 나니 차를 내준다. 나는 커피, 주내는 따뜻한 우유를 마시면서 밖을 내다본다.

다시 방으로 들어와 침대에 누워 베란다 밖의 비 내리는 정원을 쳐다본다.

이곳 운남은 방에서 나가면 온갖 꽃들이 반기는 것이 너무 좋다. '꽃의 도시'라 불러도 될 것 같다.

사람들은 순박하고, 물가도 싸고, 꽃들이 많으니 이곳이 무릉도원 아닐까?

그런데 10시가 다 되어 가도 비는 그치지 않는다. 일기예보가 잘못

된 것인가?

오늘은 천룡팔부 영화 세트장이 있는 창산(苍山: 번체로는 蒼山. 무협지에 나오는 도교 무림인 점창파의 근거지. 점창산 點蒼山이라고도 한다) 기슭에 가서 산책하다가 케이블카를 타고 창산을 오르던지, 아니면 그냥 되돌아와 점심을 먹은 후 대리 역으로 가 여강(麗江: 중국 발음으로 리장) 가는 기차를 타야 한다.

대리 천룡팔부 영화 도시(Dali Tianlong Babu Film and Television City)는 대리의 서쪽 창산을 배경으로 세워놓은 매우 사실적인 영화 세트장이다.

천룡팔부(天龍八部)는 불법을 수호하는 여덟 신장, 곧 팔부신중(八部神衆: 천(天 Deva), 용(龍 Naga), 야차(夜叉 Yaksa), 건달바(乾闥婆 Gandharba), 이수라(阿修羅 Asura), 가루라(迦樓羅 Garuda), 긴나라(緊那羅, Kimnara), 마후라가(摩睺羅迦 Maoraga)의 여덟 신장)을 가리키는 말이지만, 홍콩 명보

천룡팔부 영화도시 세트장: 대리황궁

대리 창산

(明報)의 주간이던 김용(金庸)이 쓴 무협소설의 책 이름이다.

이 소설은 북송과 요나라의 분쟁을 배경으로 송, 요, 대리, 서하, 토번, 여진 등을 포괄하는 스케일이 큰 작품이다.

옛날에 아주 재미있게 읽었던 소설이지만, 주인공이라 할 수 있는 단예와 소봉 등만 기억될 뿐 그 스토리는 거의 생각나지 않는다.

워낙 방대한 소설이지만 이곳을 여행하시려면 일단 이 소설을 읽어 보시라고 권하고 싶다. 읽는데 취향이 없으신 분은 영화(드라마)로도 나와 있으니, 꼭 이를 보시고 관광을 하시면 좋을 듯하다.

근디, 왜 비가 안 그치능겨?

그렇지만 자유여행이니 그냥 느긋하다. 비가 오면 그냥 빈둥거리다가 점심 먹고 대리 역으로 가면 되니까~.

이 경우 비록 천룡팔부 세트장 구경이나 창산 케이블카는 못 타 아쉽기는 하겠지만.

천룡팔부 세트장

10. 사람들이 북적거려야 제맛이 나는 건데……

천룡팔부 세트장 입구: 성문

일기예보를 점검하니, 비 오는 시간이 1시간씩 늦추어졌다. 11시에
는 해가 나는 걸로 되어 있다.

10시 조금 넘어 집주인이 불러준 택시를 타고 16위안(약 3,000원)에
천룡팔부 세트장으로 간다.

지도상에서 볼 때 호텔에서 세트장까지의 거리는 얼마 안 되지만,
오르막이어서 택시를 탄 것이다.

이 짧은 거리에 16위안이라니! 그런데 가는 길을 보니 빙 돌아간다.
택시로는 이렇게 빙 돌아갈 수밖에 없도록 길이 되어 있는 모양이다. 16
위안 나올 만하다.

천룡팔부 세트장 입장료가 얼마인지는 확인하지 않아 모르겠는데,
어찌되었든 여권을 보여주니 무사 통과!

이 세트장은 대리국(大理國), 요(遼) 나라와 서하궁(西夏宮), 여진족
의 3대 지역으로 구성되어 있으며, 천룡팔부 영화 촬영을 위해 건설한

대리 창산

천룡팔부 세트장: 대리황궁

대규모 영화 TV 촬영 기지이다.

세트장에 세워놓은 대리국 궁전인 대리황궁까지는 입구인 성문에서 한 200미터 정도이다.

가는 길이 대리가(大理街)인데, 좌우에는 상점들이 있으나 대부분 문을 닫아 놓았다.

얼마 안 가 체디(Chedi: 동남아 양식의 불탑) 세 개를 문 위에 인 덕승문(德勝門)이라는 문이 있고, 덕승문을 지나면 대리황궁이 나온다.

궁전 앞 무대에는 청년들이 옛 무복(武服)을 입고 모여 있다.

"뭐하는 애들인고?"

"……."

"여기 한국어 할 줄 아는 사람?"

웃기만 한다.

"영어?"

10. 사람들이 북적거려야 제맛이 나는 건데…….

천룡팔부 세트장: 덕승문(德勝門)

역시 아는 사람이 없다.

'야, 이눔들아 공부 좀 혀!'

속으로 중얼거리며 궁전으로 향한 계단을 올라가 사진을 찍는데, 음

천룡팔부 세트장: 연기인

대리 창산

천룡팔부 세트장: 공연

악이 울리며 궁전 앞 무대에서 그 청년들이 춤을 추기 시작한다.

알고 보니 이들은 정해진 시간에 춤을 추고 공연을 하는 연기인들이다.

얼른 내려와 사진기를 들이민다.

한 십 분 정도 화려한 춤사위를 보여주더니 끝!

덕승문을 지나 대리국의 황궁을 둘러본다.

고증을 하여 진짜 황궁처럼 정교하게 지어 놓았다는데, 정말 세트장인지 진짜 황궁 유적인지 헷갈릴 정도다.

대리국은 10세기 운남을 지배하던 바이족(白族)이 세운 왕조인데, 천룡팔부의 주인공 단예는 이 대리국의 왕을 모델로 하였다고 전한다.

그리곤 다시 덕승문 쪽으로 나와 영흥가(永興街)라는 길을 따라 창산 케이블카 있는 쪽으로 간다.

그러나 점심을 먹고 오후에 여강으로 가는 기차를 타야 하는 까닭에 케이블카를 타고 창산을 오르는 것은 생략한 채, 서하왕궁(西夏王宮)이

10. 사람들이 북적거려야 제맛이 나는 건데……

있는 쪽으로 길을 잡고 걷다가 희당(喜堂)과 진남왕부(鎭南王府)를 지나 다시 대리황궁으로 향한다.

대리황궁으로 가는 길 소요가(小邀街)를 따라가다 보면 오른쪽으로 이상하게 생긴 탑이 하나 있다. 이게 무엇인가 가까이 가 보니 일본사승탑(日本四僧塔)이라는 안내판이 밑에 부착되어 있다.

설명은 되어 있으나, 읽어봐도 무슨 말인지는 잘 모르겠다.

홍무제(1368-1398) 때 건립된 것으로 높이가 6미터이고, 네 명의 승려가 죽어서 부처가 되었다는 것이 <운남통지(雲南通志)>에 기재되

일본사승탑(日本四僧塔)　　　　　　　대리황궁

대리 창산

72

어 있다는 것 등을 간신히 짐작할 수밖에 없다.

다시 대리황궁을 둘러보고 덕승문을 지나 대리가(大理街)로 오니 단가채루(段家彩樓)에서 연극이 한창이다.

아까 본 젊은이들이 대리국 왕과 신하들로 분장을 하고 천룡팔부의 일부를 재현하는 것이다. 연기를 하면서 중간 중간에 사탕을 아래로 던져 준다.

그런데 이를 즐겨야 할 사람들이 별로 없다.

사람들이 거의 없으니 우리도 재미가 없다. 상점들도 대부분 문을 닫았다.

요런 덴 사람들이 북적거려야 제맛이 나는 건데…….

다시 호텔로 가는 길은 지도를 보며 지름길로 걸어서 내려가기로 했다.

내려가는 길에 보이는 집들이 바이족들의 집이다.

천룡팔부 세트장: 단가채루(段家彩樓)

10. 사람들이 북적거려야 제맛이 나는 건데…….

천룡팔부 세트장에서 나오는 길: 바이족 민가 주택

바이족은 북방에서 내려온 민족으로 운남의 소수민족 가운데 가장 잘 사는 민족이다.

이들의 집은 흰색 벽과 겹처마에 기와를 얹은 대문이 있고, 가운데 마당을 방과 담이 네모꼴로 둘러싸 대문 밖에서 마당 안쪽을 볼 수 없도록 지은 집이다. 곧, 밖으로는 폐쇄적이고 안으로는 개방적인 것이 이들 바이족 민가의 특징이다.

이들은 흰색 옷을 좋아하고, 청춘남녀의 연애가 자유로운 편이며, 데릴사위 제도와 형사취수 풍습이 있다. 이런 점은 고구려의 풍습과 많이 닮았다.

호텔로 가기 전 팔목헌에 들려 점심을 먹고는 호텔로 가 체크아웃을 한다.

대리 창산

11. 독재국가는 독재국가이다.

2024년 3월 22일(금)

대리고성에서 대리 기차역까지는 택시를 타고 간다.

약 두 시간 남짓 남아 있는데, 일찍 가서 역 앞의 공원을 구경하든지, 피곤하면 역에서 쉬며 기다리기로 했다.

택시 기본요금은 8위안(약 1,500원 정도)인데, 48위안(약 9,000원)이 나왔다.

그런데 역에 들어가니 웬 사람이 이리 많아!

도떼기시장이 따로 없네!

일단 역에 들어오면 나가기가 어렵다. 아니 나갈 수는 있으나 다시 들어올 때 신분 확인, 몸 수색 등 복잡한 수속을 거쳐야 한다.

약 두 시간 정도 시간이 남았으나, 그냥 역 안에서 쉬기로 한다.

대리 기차역

개찰구는 2번인데, 와! 사람도 많다.

그렇지만 외국인은 따로 줄을 서서 신분 확인을 해야 한다. 중국인은 신분증을 개찰구에 대면 문이 열린다. 아마도 신분증을 대면, 컴퓨터에 저장된 예약한 열차와 일치될 때 문이 열리는 거다.

그러니 차 속에서 검표는 거의 하지 않는다.

그렇다고 미리 들어갈 수는 없다. 개찰구 번호와 예약된 열차번호가 일치할 때 문이 열리기 때문이다.

난 고것도 모르고 외국인 줄에서 있다가 여권을 기계에 대고 확인하나, 파란불이 안 나오고 붉은 불만 들어온다.

아하! 지금 2번 개찰구는 15시 36분 열차를 예약한 사람만 통과되는구나.

난 16시 58분 리징 행 기차니까 아직도 한 시간 이상 기다려야 되는 것이다.

독재국가는 독재국가이다.

누가 몇 시 차를 타고 어디로 갔는지를 정부가 훤히 들여다보고 있는 거다. 옛날처럼 이동의 자유가 제한되는 것은 아니지만…….

지금 2번 개찰구를 나온 사람은 줄 밖으로 샐 수가 없다. 아무런 생각 없이 그냥 줄만 따라가서 열차에 오르면 된다.

개인의 자유를 속박하는 듯하지만, 다른 한편으로는 그냥 줄만 따라가서 열차에 오르면 되니 열차를 잘못 탈 염려가 없어 편하기는 하다.

이런 점에서 볼 때, '어딜 가든 무슨 짓을 하든 떳떳하기만 하면, 정부가 훤히 들여다봐도 상관없지 않을까? 지가 들여다봤자지 뭐! 이런 편한 점도 있는데…….'라는 생각이 들기도 한다.

대리 - 여강

여강 가는 길의 중간 기차역: 무덤

　한편 '바로 이런 생각 때문에 독재가 가능하기도 한 것 아닐까?'라는 생각도 든다.

　요건 결코 독재를 미화시키기 위한 발언이 아니고 그냥 그런 생각이 들었다는 거다. 오해하지 마시라.

　다시 되돌아와 빈 좌석에 앉아 전화기를 꺼낸다. 인터넷은 어차피 안 되고, 찍어 놓은 사진을 보면서 수정한다.

　그리고는 일기를 쓴다.

　그럭저럭 시간이 되자 다시 개찰구로 간다. 이제는 파란불이 켜지며 통과!

　열차에 오르니 잠시 후 정시에 열차는 출발한다.

　창밖을 계속 내다보나 그리 좋은 경치는 보이지 않는다.

　여강에 내리니 춥다. 비도 내리고,

　벌써 캄캄한 밤이다.

11. 독재국가는 독재국가이다.

여강 기차역

여강(麗江)은 화려강산(花櫚江山)에서 앞뒤 한 글자씩을 뺀 '려강'
인데, 머리소리되기법칙[頭音法則 두음법칙]에 따라 '여강'으로 발음한
다. 그러나 중국식 발음은 '리장'이다.

여강 기차역

대리 - 여강

옥룡설산

여강은 말 그대로 아름다운 강인 여강을 끼고 옥룡설산(玉龍雪山; 중국말로는 위룽쉐산) 아래 해발 2400m의 반퀴(Van Quy) 고원에 있는 도시이다.

서북의 옥룡설산이 차가운 바람을 막아주고, 동남 쪽의 햇볕을 충분히 받을 수 있는 고원지대에 있어 일 년 내내 날씨가 좋아 살기 좋은 곳이다.

택시를 타고 호텔 예약증을 보여준다. 여강 웨 투 인 호텔인데, 예약증엔 괄호 안에 한자로 여강열도정품도가주점(麗江悅途精品度假酒店)이라고 쓰여 있고, 그 밑에 주소가 역시 한자로 나와 있다.

택시 기사는 그 주소를 보고 한참 가더니 우릴 내려놓는다.

택시는 기본요금이 8원(약 1,500원)이라는데. 여강 웨 투 인 호텔까지 40위안(약 7,500원)이 나왔다.

카드는 전혀 무용지물이고, 이럴 때 위챗 앱이 있어야 하는데 위챗

11. 독재국가는 독재국가이다.

은 없고, 결국 100위안짜리 돈을 주니 거스름돈이 없다며 바꿔 오란다.

택시가 선 길거리에는 상점들이 많다. 한 곳에 들러 100위안짜리를 잔돈으로 바꾸어 택시비를 낸다.

지도상으로도 그렇고, 택시 기사도 분명 호텔 근처에 내려준 게 확실한 듯한데, 내려 준 길가에는 호텔 같은 건물이 안 보인다.

결국 여기저기 물어볼 수밖에 없다.

잔돈을 바꾸어 준 식당으로 가 물어보니, 쏼라쏼라 하는데 알아들을 수가 있나? 다시 나와 길거리에서 다른 사람을 붙들고 물어본다.

예약증의 주소를 보더니 언덕 위로 난 길을 가리킨다.

주내를 세워놓고 혼자서 언덕을 올라가며 사람들에게 묻는다. 결국 몇 번을 묻고 물어서 호텔을 찾아간다.

호텔은 약간 길이 안 좋은 언덕 위에 있는데, 다른 가게들과 이어져 있는 가운데에 있으니 찾기가 어려울 수밖에 없다. 게다가 현판까지도 중국 글자로 쓰여 있고 그 밑에 '리장 웨 투 인'이라고 영문으로 조그맣게 쓰여 있으니, 사람들이 '리장 웨 투 인'을 알 수가 없는 거다.

다시 주내를 불러 가방을 끌고 언덕을 올라 호텔에 들어가 체크인을 한다.

이 호텔은 booking.com에서 평이 좋아 416.16위안(76,933원)에 이틀을 예약해 놓은 호텔이다.

평이 좋듯이 호텔 사장 양○○ 군은 정말 친절하다.

일단 양 사장과 함께 내일 23일 토요일의 투어 계획을 상담하여 결정한다.

사실은 며칠 전 일일투어를 한국 여행사인 온리 투어(only tour)에 카톡으로 신청하였으나, 카톡의 내 메시지가 전달되지 않은 까닭에 호텔 사장인 양 사장에게 도움을 요청한 것이다.

양 사장은 친구인 여행사 사장에게 전화를 한다.

전화 결과, 옥룡설산(玉龍雪山)의 빙천공원(氷川公園)은 사람이 많아 당일 예약은 안 되고 하루 전에 예약해야 한단다.

빙천공원은 옥룡설산 꼭대기에 눈과 빙하가 있는 곳인 듯하다. 산꼭대기 빙하는 알프스에서도 본 적이 있고, 노르웨이에서도 본 적이 있으니 생략해도 좋다는 생각이다.

그래서 결정된 계획은 다음과 같다.

내일 아침 6시 45분에 호텔을 출발하여 옥룡설산으로 가기 전 중간 숍에 들려 산소통과 두터운 옷을 빌려 입고, 버스를 타고 옥룡설산으로 가 빙천공원 대신 운삼평(雲杉坪 Yun Shan Ping 중국 발음으로 윈산핑)으로 오르는 케이블카를 타고 운삼평을 관광한 후 다시 내려와 남월곡

호도협

11. 독재국가는 독재국가이다.

(藍月谷 Blue Moon Lake)에서 점심을 먹고 돌아오는 중국여행사 패키지를 일인당 350위안(약 67,000원)에 계약한다.

양 사장이 중국여행사 친구에게 700위안(약 134,000원)을 대납하고, 양 사장에게 700위안과 3%의 카드수수료를 합쳐 현금카드로 지불한다.

그리고 모레 24일 일요일 투어 계획으로는 호텔에서 금사강을 거쳐 호도협(虎跳峽 Tiger Leaping Gorge 중국말로 후티아오샤)을 구경하고, 점심을 먹은 후, 합파설산(哈巴雪山 중국말로 하바쉐산)과 보달조국립공원 (普达措国家公园 Potacho National Park 중국말로 포탓소국립공원)을 거쳐 샹그릴라로 가 저녁을 먹은 후 호텔(아침 포함)로 데려다주고, 다음 날 아침 샹그릴라 옛 도시(old town) 투어를 한 후, 내가 예약해 놓은 Kevin's Trekker Inn에 데려다주는 일정으로 일인당 790위안에 계약한다.

이 비용 역시 양 사장이 대납하고, 1,580위안에 카드 수수료를 포함하여 현금카드로 지불한다.

이틀 투어 예약에 수수료 포함 모두 2348.4위안(약 45만 원)이 든 셈이다.

어찌되었든 일단 내일, 모레의 일정은 걱정할 필요가 없다. 그냥 계획대로 따르면 되니까.

12. 여강의 뒷산, 옥룡설산

2024년 3월 23일(토)

아침 4시 45분 일어나 샤워하고, 6시 41분에 로비로 나가 아침 식사를 한다.

6시 45분 차를 타기 위해 양 사장이 우릴 데리고 언덕을 내려가 길 건너에서 여행사 차에 우리를 인계한다.

이 차는 이 호텔, 저 호텔을 돌며 관광객을 태우는데, 저쪽으로 설산이 보인다. 동이 터 오르며 그 빛을 받아 흰 눈이 희끗희끗 보이는 붉은 산이다. 저게 나시족의 성산(聖山)인 옥룡설산(玉龍雪山 중국말로는 위룽쉐산)인 모양이다.

나시족의 성산이라는 옥룡설산은 우람하나, 마치 여강 뒷산처럼 가까이 보이는데, 이 산을 오르는 케이블카 타는 곳까지는 백 리나 떨어져

옥룡설산

차창 밖으로 보이는 옥룡설산

있다고 한다.

우리 둘과 다섯 명의 중국인들을 태우고 옥룡설산을 향해 차는 달려간다.

옥룡설산으로 가는 도중에 숍에 들러 기사는 산소통과 두터운 방한복인 붉은 패딩 옷을 챙긴다.

히말라야의 산맥 동쪽 끝에 있는 높이 5,596m의 옥룡설산은 중국에서 가장 등급이 높은 5A급 여행지라던데, 실제로 보니 등급이 높을 수밖에 없다는 생각이 든다.

가이드에 따르면, 옥룡설산은 약 30여 년 전에는 만년 설산이었지만, 지구온난화 때문에 눈이 계속 녹고 있어, 지금은 일 년 내내 설산은 아니라고 한다.

그 높의 지구온난화!

지구온난화가 계속되면, 이제 '설'자가 빠진 그냥 평범한 이름 옥룡산이 되지 않을까?

요런 일이 생기면 안 되는디…….

조금 더 가니 옥룡설산의 자태가 잘 보이는 곳에 차들이 정차해 있고 사람들은 사진을 찍기 바쁘다.

그런데 웬 차가 이리 많은고? 이차선 차로에 버스며 자가용이며 차들이 꽉 차 거북이보다도 더 느리다.

12. 여강의 뒷산 옥룡설산

왼편엔 설산이 보이고, 오른쪽엔 철길이 이어져 있는데 철로 너머로
도 높은 산이 줄지어 있다.

옥룡설산 11㎞라는 표지가 나오는데, 차는 거북이걸음이다.

그렇지만 이렇게라도 움직이는 게 워디어!

산은 정말 멋지다. 웅장하다. 흰눈을 인 뾰족뾰족한 봉우리들이 이어
져 있으니 그 이름대로 옥룡이 꿈틀대며 용트림하는 듯하다. 이름 참 잘

여강 옥룡설산

운삼평 케이블카 역에서 본 옥룡설산

지었다. 그러니 김용이 무협소설의 소재로 삼을 만하다.

털모자를 뒤집어쓰고 목을 머플러로 감싸니 한결 따뜻하다.

왼편의 동파곡 주차장에는 차가 빼곡하다.

하, 여길 지나니 이제 고속도로다. 잘 달린다!

그렇지만 얼마 안 가 다시 스톱, 또 거북이. 잘못 온 거다. 평일 날 와야 허는디…….

날씨는 화창하다. 다행이다.

어제까지만 해도 여강 날씨가 '비'였는디…….

차를 세워놓은 후 공원 버스를 갈아타고 케이블카 타는 곳으로 간다. 남월곡을 지나 운삼평(雲杉坪: 중국말로는 원사핑) 색도역(索道驛 케이블카 역)에는 10시 쯤 도착한다.

중국인 가이드는 케이블카 타는 줄에 우리 부부를 세워 놓구는 중국인 다른 일행 5명을 데리고 사라진다.

12. 여강의 뒷산 옥룡설산

줄은 줄어드는데 가이드는 나타나지 않는다.

드디어 표 받는 곳까지 왔는데……. 표도 없는 우린 어쩌란 말이냐? 속이 탄다.

결국 표 받는 사람에게 영어로 설명하나 통할 리가 없다. 다시 한국어로, 역시 통할 리 없다. 옆으로 비켜서서 뒷사람 먼저 들어가게 한다.

이러고 있는 사이에 가이드가 나타난다. 표를 들고!

가이드하고도 말이 통하지 않으니 정말로 힘든다. 그냥 눈치로 운삼평 올라가 구경하고 내려오라는 듯하다.

현재 케이블카 타기 전 고도는 2,906미터이다.

3,190미터 높이의 운삼평 케이블카 윗역에 내린다.

여기에서부터 운삼평까지는 약 900미터이니 15분 정도 걸으면 된다. 한편 다리 아픈 사람은 셔틀을 타고 가도 된다.

운삼평은 구름과 삼나무로 둘러싸인 평지 초원지대라서 붙은 이름이

운삼평과 옥룡설산

여강 옥룡설산

다. 초원을 가운데 두고 데크로 된 산책길이 있다.

길을 따라가면서 왼쪽의 설산을 감상한다. 가는 길은 쭉쭉 뻗은 삼나무들이 솟아 있고 도중에 장승 비슷한 것도 세워져 있다.

삼나무들로 둘러싸인 운삼평은 초지인데, 양들이 풀을 뜯고 있다.

오른쪽 산등성이에서도 양과 염소 등 야생동물들이 다가와 먹이를 달라고 한다.

여기에서 보는 옥룡설산의 풍경 역시 대단하다.

그냥 좋다.

운삼평: 장승?

운삼평: 양떼

12. 여강의 뒷산 옥룡설산

13. 돈 벌기가 쉬운 게 아녀!

2024년 3월 23일(토)

이제 다시 돌아가야 한다.

주내는 방한복을 입은 채, 납서족(納西族: 중국말로는 나시족) 의상을 빌려 입은 아가씨들과 친해져서 옥룡설산을 배경으로 사진을 찍어달라고 한다.

젊은 처자들은 나시족 털모자를 쓰고 나시족 옷을 입었는데, 겉옷 속에 보이는 치마의 색깔이 완전 색동이다.

우리는 색동저고리를 입는데, 나시족은 색동 치마를 입는 모양이다.

나시족은 언어상으로 티베트-버마어족에 속하지만, 민족상으로는 옛 동이의 일파인 이족이나 리수족에 가깝다고 한다. 그래서 색동 치마를 입는지도 모르겠다.

운삼평: 옥룡설산을 배경으로

여강 운삼평 남월곡

　이들은 고대 강족(羌族)의 하나로 모계 중심의 일처다부제의 전통을 가지고 있던 소수민족이다.

　나시족은 전통적으로 여자가 밭일을 하며 돈을 벌고, 남자는 육아와 가사를 전담한다고 한다.

　그래서 그런지 지금도 나시족 가정에서는 여성의 지위가 높다.

　예를 든다면, 지금도 전통적인 나시족 집안에서는 집안의 최고 어른인 최연장 여인이 사는 방으로 할머니방[祖母部屋 조모부옥]이 있는데, 이곳에 선조의 제단이 모셔져 있으며, 이곳에서 집안의 미성년자들이 할머니의 훈육을 받으며 산다고 한다.

　또한 이들은 유네스코 세계기록유산으로 등록되어 있는 동파문자(東巴文字 나시문자라고도 함)라는 고유의 상형문자를 가지고 있으나, 지금은 종교적으로만 사용될 뿐이라고 한다.

　한편 주내가 입은 방한복은 이들과 비교할 때 부풀어져 있어 우스꽝

운삼평: 삼나무와 옥룡설산

13. 돈 벌기가 쉬운 게 아녀!

스럽다.

왔던 길을 돌아가려니 다리도 아프고, 원래 주내나 나나 빠꾸는 잘 안 하는 성격이라, 전동차를 타고 가기로 했다.

전동차 값은 편도 15위안이니 둘이 30위안(약 6,000원)이다.

잔돈이 없어 100위안을 내보이지만, 위챗으로만 돈을 받고 현금은 아예 받지 않는단다.

아마도 위챗이 편리할 뿐 아니라, 삥땅('빼돌리기' 또는 '가로채기' 등 횡령을 뜻하는 속어)을 방지하기 위해 그런 모양이다.

세상이 요상하게 변하여 위챗이라는 앱에서 돈을 지급해야 하는 모양인데, 전화기에 위챗 자체가 안 깔린다. 전화기에서 플레이스토어가 작동을 안 하니 위챗이라는 앱을 깔 수가 없는 거다.

중국 정부에서 구글, 네이버 따위를 막아놓았기 때문이다.

참 고약하다.

옆에 있던 젊은 남녀가 통역해주다가 우리 돈 30위안을 자기 전화기로 내준다.

젊은 천사들이다!

다시 케이블카 타고 내려와 가게에서 이들에게 소시지를 사 주려 하니 한사코 배부르다며 사양한다. 계속 무엇인가 먹을 것을 권하니 마지못해 옥수수 하나를 집는다.

옥수수값을 지불하고, 잔돈을 바꿔 30위안을 갚으려고 되돌려주는데 한사코 받질 않는다.

돈이 문제가 아니라 정말 그 마음이 고맙다. 이름도 모르고 처음 본 젊은이들인데……

여강 운삼평 남월곡

이 젊은이들과 헤어져 밖으로 나오니, 다행히도 가이드 겸 운전수가 우리를 기다리고 있다.

함께 버스를 타고 사천(泗川)의 작은 구채구(九寨沟, 번체로는 九寨溝)라 불리는 남월곡(藍月谷 중국말로는 란위에구)으로, 간다.

옥룡설산 밑에 푸른 달이 박혀 있는 듯하여 남월곡이라는 이름이 붙었는데, 설산의 눈 녹은 물이 흘러내려 생긴 에메랄드 빛 호수이다.

벚꽃은 피어있고, 빙하가 녹아 흘러내린 물은 쪽빛이고, 저 높은 바위산엔 흰 눈이 여기저기 보이는 기막힌 경치인데, 사람은 많고도 많다.

벌써 12시가 넘었다. 배가 고프다.

다시 가이드와 함께 버스를 타고 리장인상공연장으로 간다.

여기에서 점심을 먹는다며 각종 버섯과 채소들이 있는 뷔페식당으로 우리를 안내한다.

일단 방한복을 벗으니 살 거 같다. 날씨가 너무 좋다. 오히려 덥다.

남월곡

13. 돈 벌기가 쉬운 게 아녀!

바람이 시원하다.

점심으로는 버섯 샤브샤브를 먹는다.

가이드는 "마음껏 가져다 끓는 물에 넣어 데쳐서 드시라."는 말과 함께 우리 둘만 남겨놓고 또 어디론가 사라졌다.

같이 차를 탔던 일행은 케이블카를 타고 빙천공원으로 올라간 모양인데 이들을 데리러 간 모양이다.

우리도 고생을 하였지만, 가이드도 우리 안내하랴, 중국인 일행 다

남월곡: 벚꽃과 옥룡설산

섯 명을 안내하랴, 1인 2역을 하느라 고생한다!

'돈 벌기가 쉬운 게 아녀!'

가이드는 아까 아침에 같이 타고 왔던 중국 여행객들을 데리고 와 저쪽 식탁에 앉혀 놓는다.

그리고는 2시가 넘었는데, 40위안 내고 다른 차를 타고 먼저 돌아가든지, 5시까지 기다렸다 함께 가든지 선택하라고 한다.

여강 운삼평 남월곡

같이 갔던 일행은 리장인상공연을 보기 때문에 5시에 차를 타고 가야 한다는 거다.

우리도 보자니까 일인당 200위안(약 38,000원)을 내야 한다고 한다. 리장인상공연은 옥룡설산을 배경으로 약 500여 명의 배우들이 출연하여 쇼를 하는 것이라는데 장예모 감독의 작품이다.

보고는 싶은데, 피곤하기도 하고, 갑자기 돈이 아까운 생각도 든다.

어찌 할까 하다가, 40위안 내고 호텔로 일찍 가기로 결정한다.

13. 돈 벌기가 쉬운 게 아녀!

14. 여강에 올 땐 배낭을 매라고?

2024년 3월 23일(토)

호텔에 도착하니 오후 3시가 조금 넘었는데, 그냥 곯아떨어진다.

5시에 일어났으나, 주내는 안 나가고 싶어 한다.

안 나가겠다는 주내를 끌고 6시 반이 넘어 밖으로 나가 오르막길을 올라간다.

지도상으로 보니 이 언덕을 넘으면 바로 여강고성이 있기 때문이다.

호텔에서 언덕을 따라 올라가니 일몰을 볼 수 있는 전망대가 있는데 마침 해지는 시간이 다. 그러나 내려다보는 경치는 별거 없다.

이제부터는 내리막 골목길이다.

좁고 구불구불한 골목 좌우로는 호텔과 상점들이 가득 차 있다. 우리나라로 치면 달동네일 터인데 이곳은 화려하다.

우리가 묵은 호텔은 큰길에서 약 20여

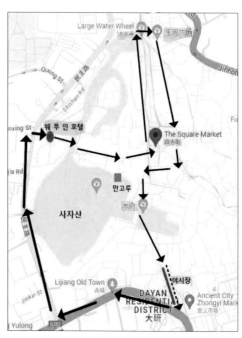

여강고성: 여행 동선

여강고성

미터 위에 있지만, 여기는 100미터도 넘는 곳인데, 민박, 호텔, 장신구 파는 집, 옷 가게, 빵집, 카페 등이 꽉 들어차 있고, 좁은 골목은 사람들로 붐빈다.

골목길은 돌로 되어 있어 비록 다듬어 놓았다고 해도 울퉁불퉁하여 가방을 끌고 다니기가 쉽지 않다. 자동차가 다닐 수 있는 길이라도 있으면 좋겠지만 전혀 불가능하다.

그러니, 우린 내려 가지만 저 가방을 끌고 올라오는 사람들은 얼마나 힘들까? 오죽하면 "여강에 올 땐 배낭을 매라."는 말이 있을까?

처음엔 우리 호텔이 큰길가에서 오르막으로 20여 미터 위이라서 잘못 정했구나 싶었는데, 우리 호텔보다 이 높은 곳에 방을 잡은 사람들을 생각하면 외려 다행이다 싶다.

그저 감사할 따름이다.

골목길을 돌아 내려

여강 달동네

14. 여강에 올 땐 배낭을 매라고?

여강고성

와 여강고성(麗江古城) 안으로 들어오니 사방가(四方街: 중국말로 쓰방지에)의 옛집들이 휘황찬란한 불빛을 뽐내며 손님들을 끌고 있다.

원래 여강고성은 대연고성(大研古城), 속하고성(束河古鎭 중국말로는

여강고성

여강고성

수허고진), 백사고진(白沙古鎭)을 합친 말이지만 보통 대연고성을 가리키며 쓰이기도 한다. 여기에서는 대연고성을 가리키는 말로 그냥 여강고성이라는 말을 쓴다.

여강고성의 가운데에는 사방가(四方街)가 있는데, 옛날 마방(馬房)들이 물물교환을 하는 장(場)이 서던 장소라 한다.

이 마을 북쪽에는 상산(象山: 중국말로는 샹산)이 있고, 이 산에서 흘러내리는 맑은 물이 세 줄기로 나뉘어 마을 안으로 흘러 들어오며, 아름다운 풍경을 만들어내고 있다.

곧, 고성 안으로는 물길 양쪽으로 버드나무를 심어놓은 길이 나 있고, 화려한 불빛 아래 가게들이 줄지어 있어 사람들을 잡아 끈다.

여강고성은 정말 볼 만하다. 특히 밤에는 더더욱!

산등성이와 골목 골목마다 들어선 이삼 층의 목조가옥들, 그리고 이 집들 사이로 나 있는 구불구불한 골목들, 이 골목들을 밝히고 있는 화려

14. 여강에 올 땐 배낭을 매라고?

한 등(燈)들, 그리고 운하처럼 흐르는 세 줄기의 물길에는, 연꽃 모양의 등(燈)이 떠 있고, 총 354개가 있다는 돌다리는 그 자체로도 운치가 있다.

아니 무엇보다도 수많은 관광객들과 함께 어우러지는 흥겨운 사람들이 있어 더욱 그렇다.

오늘도 돌다리 저편에선 관광객과 나시족이 함께 어우러진 민속춤이 흥겹다. 서로 손잡고 빙빙 돌며 추는 우리나라의 강강수월래 같은 춤이다.

평소에 접하지 못한 무슨 신기한 경치나 아름다운 풍광을 즐기는 것도 여행이겠지만, 모르는 사람들이 모여 서로 웃고 떠들고 노래하고 춤추는 것도 또 다른 여행의 매력 아닐까?

이 이외에도 먹을거리, 볼거리도 많다.

카페도 많고, 내가 좋아하는 술집도 많다. 거리를 걷다 보면 술집 안 무대에서 무희들이 춤을 추는 모습이 밖에서도 훤히 들여다보인다.

여강고성: 춤판

여강고성: 물레방아와 세계문화유산 기념벽

나시족이 건설한 평화롭고, 아름답고, 고풍스러운 집들과 정원들, 송원대의 역사를 고스란히 간직하고 있는 800년 된 매력이 넘치는 옛 도시, 바로 이러한 곳이니 UNESCO 세계문화유산에 등재되어 있음은 당연하다.

이러니 중국인들이 최고의 신혼여행지로 손꼽는 것 아닌가!

여기저기 기웃거리며 물길을 따라가다 보니, 이곳에서 유명한 큰 물레방아[大水車 중국말로는 따수이츠]가 나온다. 곧, 사람들이 몰려 있는 세계문화유산기념벽과 함께 커다란 물레방아가 두 개와 그 옆으로 '사랑의 자물쇠'들이 줄지어 있는 곳이 나온다.

이 물레방아는 여강고성의 랜드마크라 할 수 있는 곳이고, 연인들이 사랑의 언약식을 하는 곳이기도 하고, 웨딩 촬영을 하는 명소이기도 하다.

이 두 물레방아를 두고 어떤 이는 '연인들의 수레'라고 하기도 하고, 어떤 이는 '엄마와 아들 물레방아'라고 하기도 한다.

14. 여강에 올 땐 배낭을 매라고?

여강고성: 물레방아

여강고성: 옥하광장 공연

보는 눈에 따라 다른 것이다.

이처럼 생각에 따라 사물은 달리 보이는 것이다.

사람마다 다 다르니, 다른 건 서로 인정해 줘야 한다. 내 생각과 다르다고 내 생각을 강요해선 안 된다.

그냥 '그렇게 보면 그러려니' 하라. 싸우지들 말고!

이 물레방아 앞 옥하광장(玉河廣場)에서도 공연이 이루어지고 있는데, 사람들이 그야말로 인산인해이다.

물레방아 뒤편 언덕 위로는 나시족의 옛집들이 조명을 받아 완전 한 폭의 그림이다.

한편 이 큰 물레방아 이외에도 4km에 달하는 물길에는 작은 물레방아들이 많이 있으니 한 번 찾아보시라!

14. 여강에 올 땐 배낭을 매라고?

15. 나이를 잊어버리는 곳!

2024년 3월 23일(토)

다시 또 다른 물길을 따라 사람들이 많은 길로 되돌아 목부(木府 중국말로는 무푸)가 있는 곳을 가늠하여 걷는다.

가는 길은 카페도 많고, 술집도 많고, 클럽도 많고, 차를 파는 가게, 빵 등 주점부리를 파는 가게, 은제품 등 기념품을 파는 가게, 민속옷을 빌려주는 가게, 그리고 식당 등이 환히 켜진 조명등 아래 즐비하다.

놀고 마시며 즐기기엔 딱이다.

대학 시절로 돌아간 듯하다.

한마디로 '나이를 잊어버리는 곳!'

여기 오지 않으신 분들은 낭만에 대하여 이야기하지 마시라. 낭만을 논할 자격이 없다고 말해도 전혀 과장된 표현이 아니다.

여강고성 안

여강고성

그리고 목적지를 정해 놓고 다니지 않아도 된다. 여강 옛성 안에는 수많은 골목길이 있는데, 골목길마다 아기자기하여 운치가 있고 아름답기 때문이다.

그렇지만 다 돌아다니지는 못한다.

왜? 다리가 아프니까!

골목길도 길이려니와 저쪽 언덕 위 사자산(獅子山) 쪽을 올려다보면 그 밤 경치가 정말 아름답다.

이런 걸 보면 이곳에서 며칠 동안 묵을 걸 그랬다 싶기도 하다.

가다 보니 하늘 골목에 각양각색의 우산을 매달아 놓은, 우산으로 장식된 우산길이 나온다. 누구나 이곳에 들리면 사진을 찍어오는 곳이라 한다.

이제 호텔로 돌아가는 길을 잡아 나가는데 목부(木府 중국말로는 무푸)가 나타난다.

여강고성 사자산

15. 나이를 잊어버리는 곳!

여강고성: 우산길

여강고성

여강고성: 목부

목부는 한때 이곳을 지배하였던 여강 목(木)씨의 관청이라는 뜻이다.

이와 관련하여 재미있는 이야기가 있다.

여강고성엔 성벽이 없는데, 그 이유는 성벽을 쌓아 목(木)을 가두면 곤할 곤(困)자가 되기 때문이라고 한다.

정말 그러고 보니 여강 옛 성으로 들어올 때 성벽을 보지 못했다.

사람들이 북적이는 화려한 골목길이 좋다. 컴컴하고 인적이 드문 길로는 들어서기는 싫다.

왜 그럴까?

이제 시간은 9시가 넘어 배도 고프고 다리도 아픈데, 고성 안 음식점보다는 분명 야시장으로 가 무엇인가 배를 채우고 싶다.

고성 안에는 노점상이 없다.

그러니 목부를 지나 밖으로 나가면 야시장이 있을 것이다.

비교적 컴컴한 골목을 지나며 보니, 사자산 위에는 고루(高樓)가 역시 휘황찬란하게 빛나고 있다.

다리가 안 아프고 시간이 넉넉하면 저기도 오르고 싶지만, 밤도 이슥하고 벌써 15,000보를 넘게 걸었으니 무리다.

더욱이 내일엔 차마고도를 지나 샹그릴라까지 가야 하니 호텔로 들어가 쉬어야 한다.

야시장에서 모처럼 한국 청년을 만난다.

이곳에서 한국 사람은 처음 만나는 것이다. 주로 중국 관광객들이고, 그것도 대부분 신혼부부들이다.

야시장에서 쇠고기, 돼지고기, 파, 오징어 꼬치구이를 시키면서 양념 치지 말고 소금만 살짝 뿌려 구워달라고 한국 청년이 통역해 준다.

여기선 양념을 바르는 게 두렵다. 익숙하지 않은 그 향기 때문이다.

그리고는 맥주 한 캔(4위안: 약 800원)을 사서는 잘 먹는다.

맥주는 야시장 옆의 충의시장(忠義市場) 쪽으로 내려가 슈퍼마켓에

여강고성: 야시장

여강고성: 남문

서 사왔다.

그리고는 저녁 대신 볶음밥 15위안도 시켜 먹는다.

꼬치구이 18위안까지 합쳐서 모두 37위안(약 7,000원) 가지고 둘이서 잘 먹었다.

잘 돌아다니고 잘 먹고 야시장을 빠져나오니, 큰길가에 장광OO(丈光OO)이라는 문이 날아갈 듯 서 있다.

이 앞에서 택시를 타고 호텔로 돌아온다. 8위안(약 1,600원) 들었다. 물가가 싸니 요건 참 좋다.

15. 나이를 잊어버리는 곳!

16. 거 참! 별일이네!

2024년 3월 24일(일)

아침 5시 반 샤워를 하고, 짐을 꾸리고, 어제 일을 간단히 정리한다, 어차피 카톡도 페이스북도 안 되니 할 수 있는 건 어제 찍은 사진을 수정하는 일뿐이다.

이 집 샤워는 물이 세서 참 좋다.

오늘 여정을 위해 일기예보를 보니 오늘은 어제보다 춥고, 소나기가 예보되어 있다. 이에 대비하여 백팩을 싼다.

호텔에서 아침을 간단히 먹고, 8시에 픽업하러 온 차를 타야 한다.

오늘은 호도협을 구경하고, 점심을 먹은 후 합파설산을 거쳐 보달조국립공원을 관광하고 저녁을 먹은 후 상

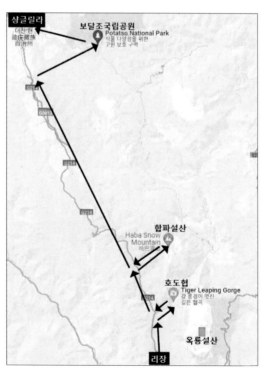

24일 여정: 호도협-합파설산-보달조-샹그릴라

호도협

110

금사강

글릴라의 호텔에서 일박하는 여정이다.

아침에 우리를 데리러 온 차를 타는 데까지 양 사장은 짐을 들고 우리를 데려다준다.

차는 이곳저곳을 들려 처녀들 네 명을 태운 후, 호도협을 향해 달린다. 기사와 우리 부부까지 합쳐 일곱 명인 셈이다.

호도협 가는 길은 온갖 꽃 천지이다. 배꽃, 복숭아꽃이 좌우로 펼쳐진 시골 풍경이 포근하다.

평범하다면 평범한 풍경이겠으나, 왜 이런 평화로운 풍경이 가슴에 와 닿는 거지?

금사강을 따라 시골길을 달리던 차는 어느덧 산길로 접어든다.

높은 산 사이 2,429미터의 굽이진 산길을 잘도 달린다. 도로 옆은 낭떠러지인데……

9시 20분, 재를 넘어 고속도로 입구에서 기름을 넣는다. 그리고는

16. 거 참! 별일이네!

휴게소에서 30분을 준다.

측소(厠所: 화장실을 뜻하는 중국말)에 가니 할아버지 한 분이 앉아 있다가 돈을 받는다. 주머니를 뒤지니 그냥 들어가라고 손짓을 한다.

역시 시골 인심이다.

나오면서 1위안(약 200원)을 건네니, 활짝 웃으신다.

이 휴게소에서 대추와 호두를 산다. 생대추가 크기도 하지만, 참으로 달고 맛있다.

10시에 출발하는데, 출발에 앞서 산소통과 물을 한 병씩 준다.

왼편에 강과 높은 산을 끼고 차는 달린다.

기사와 승객 처녀 간의 대화가 시끄러워, 핸드폰의 통역 앱을 켜면 대화 내용을 엿들을 수 있겠다 싶어 주내 핸드폰을 찾으니 없다.

기사에게 핸드폰을 휴게소에 두고 온 듯하다고 손짓발짓을 하니. 차를 돌려 다시 휴게소로 향한다. 운전기사가 고맙다.

호도협과 차마고도

호도협

다시 휴게소로 가는 도중 한바탕 소동이 일어난다.

"어! 그런데 왜 주내 핸드폰이 내 주머니에서 나와?"

"거 참! 별일이네!"

그냥 웃을 수밖에 없다.

늙으니 이런 일이 벌어지는 거다. 다시 차를 돌린다.

강을 건너니 "샹그릴라가 당신을 환영한다."는 표지가 우릴 맞는다.

강의 물빛이 완전 녹색이다. 에메랄드색이다. 아름다운 강이다.

강 이름은 금사강(金沙江 중국말로는 진사강)이며 역시 김용의 천룡팔부에 나오는 강 이름이어서 친숙하다. 이 물이 흘러 양쯔강(揚子江)으로 들어간다니 양쯔강의 상류인 셈이다.

10시 40분, 차들이 늘어서 있다. 왜?

'아하! 여권을 보여 달라는거구나.' 알고 보니 신분증을 검색하고 있다. 말은 못 알아들으니 신분증을 보여준다.

호도협 주차장

16. 거 참! 별일이네!

호도협과 차마고도 　　　　　　　호도협

　여권을 꺼내주니 여권을 가지고 어딘가로 간다. 그러더니 한참 후에 여권을 돌려준다. 이제 오른쪽에 금사강을 끼고 차가 달린다.

　강 건너 차마고도(車馬古道)가 보인다.

　호도협 주차장에 차가 서는데, maps.me를 보니 해발 1,867미터이다. 저 밑의 협곡으로 내려갔다 올라오는데 에스컬레이터가 100위안이다. 상행이 65위안, 하행 35위안으로 쓰여 있다.

　걸어서 내려갔다 올라올 때는 에스컬레이터를 타기로 한다.

　가파른 800여 개의 계단(내가 세어 본 것은 아니고, 누군가가 세워본 모

호도협

양이다.)을 따라 협곡 밑으로 한참 내려간다.

협곡 사이로 흐르는 물살은 엄청 센데, 협곡 가운데에 커다란 바위
가 놓여 있다.

호도협

16. 거 참! 별일이네!

저 바위가 호랑이가 점프하여 딛고 건너간 바위인 모양이다.

협곡 너머로는 차마고도(茶馬古道: 중국의 서남부 윈난성과 쓰촨성에서 티베트를 거쳐 네팔과 인도까지 이어지는 5,000km의 길) 옛길이 보인다. 저 좁은 길로 말에 찻잎을 싣고 티베트로 걸어가는 옛사람의 고단한 삶이 보이는 듯하다.

밑에서 다시 에스컬레이터 있는 곳으로 걸어간다.

에스컬레이터 타는 값치곤 비싸다만, 다리가 아픈디 워쩌?

분명 상행 65위안이라 쓰인 것을 위에서 보았는데, 50위안을 내라 한다. 경로우대는 아닌 듯한데……, 굳이 따질 일은 아닌 듯하다. 말도 안 통할 뿐 아니라, 15위안이나 싸게 내놓으려는데 따질 게 뭐 있누?

둘이 50위안씩, 100위안(약 20,000원)이 날아간다.

한국 패키지 프로그램에는 에스컬레이터 왕복 타는 것도 다 포함되어 있는데……. 허긴 이건 중국 패키지 여행이니.

그리고 한국 호도협 패키지에는 호도협 트래킹을 하고 차마객잔이나 중도객잔에서 자고 내일 아침에 샹그릴라로 들어간다고 되어 있는데, 그래서 트래킹도 하고 중간에 잘 때 하늘의 별을 볼 수 있다는 기대감도 있었는데, 한국여행사와는 카톡이 안 되니 연락할 수가 없다.

더군다나 한국 투어패키지에는 적어도 네 사람이 있어야 한다고 했으니 우리 두 사람만으로는 설령 한국 여행사와 접촉이 되었다고 하더라도 불가능했을 것이다.

한편 이 중국 패키지는 오늘 그냥 샹글릴라로 들어가 호텔에서 재워 준다고 되어 있으니 호도협 트래킹이나 밤하늘의 별은 생각도 못할 일이다. 어쩔 수 없다. 이에 따를 수밖에.

호도협

17. 참으로 아이러니하다.

2024년 3월 24일(일)

12시에 호도협을 떠난다.

호도협을 나와 어딘가 식당으로 들어가 점심을 먹는다. 닭백숙, 오리 요리, 물고기 튀김, 채소 등등이 나온다.

12시 55분 줄발.

가는 길은 강원도 산길 비슷하다. 2,000미터 내외의 굴곡진 산길이 다.

1시 50분, 현지 해발 3068이라는 글자가 새긴 까만 바위 뒤 합파설 산(哈巴雪山 중국말로는 하바쉐산) 관경대라는 전망대 앞에 선다.

하바쉐산은 높이가 5,396미터의 높은 설산이다.

산속에 마을과 밭이 펼쳐져 있는데 경치가 참 좋다. 이 높은 산에서

합파설산 전망대에서

17. 참으로 아이러니하다.

합파설산 전망대: 흰 야크

도 저렇게 밭을 일구고 마을을 이루어 살아가는 모습이 경이롭기도 하다.

높은 곳이긴 하지만, 들에서 검은 야크들이 풀을 뜯고 있는 한가로운 모습이 평화롭다.

하바쉐산 전망대 앞에는 커다란 덩치의 흰 야크가 한 마리 서 있고, 그 옆에 이 야크의 주인이 사진을 찍게 해주고 돈을 받는다.

흰 야크와 함께 사진을 찍는데 20위안(약 4,000원)이라고 한다.

전망대 가기 전 과일을 파는 허름한 가게가 한 줄로 늘어서 있고, 저쪽 끄트머리에 화장실이 있다.

화장실로 가니 할머니가 앉아서 돈을 받는다.

1위안(약 200원)을 내고 들어가 보니 옛날식 변소이다. 칸막이가 되어 있는 가운데에 홈이 파여 물이 흐르고, 엉덩이를 까고 앉으면 밖에서 다 보이는 그런 옛날 중국식 변소이다.

옛날 중국식 변소

옛날 중국식 변소를 구경했으니, 1위안 값어치는 충분하다.

지금은 중국이 경제도 발전하고, 도시는 많이 현대화되어 아파트도 많고, 화장실도 깨끗하다.

들리는 말에 의하면 시진핑이 한국에 와서 화장실을 보고는 놀래, "한국을 본받아라!"라는 지시를 한 결과라고 한다.

도시의 공원이나 건물에 들어가면 화장실도 수세식이고, 오줌을 누면 지가 알아서 물도 저절로 나오는 화장실이 대부분이다. 그리고 우리나라만큼은 아니지만, 화장실도 생각보다는 많이 깨끗하다.

물론 우리나라를 본받아서 돈도 받지 않는다. 참 많이 발전했다.

헌데, 이런 시골에는 재래식 화장실, 큰일 보는 분들의 엉덩이가 보이는, 냄새나고 지저분한 화장실이 아직도 남아 있는 거다.

그리고 깨끗하고 물도 잘 나오는 화장실은 돈을 안 받는데, 지저분하고 냄새나는 재래식 화장실은 돈을 받는다는 게 참으로 아이러니하다.

17. 참으로 아이러니하다.

뭐, 좀 이상하지 않은가?

자동차는 3,200미터 고지를 달린다.

밖을 내다보니 방목하는 염소, 소 등이 보인다.

우리 가이드 겸 운전기사는 담배를 계속 피워댄다. 중국에는 담배 골초들이 많다. 어제 중국인 기사도 그러더니…….

차는 담배 냄새에 쩔어 있다.

금연이 잘 이루어지지 않는 것을 보면 중국이 아무리 발전을 했다 해도 아직도 후진국은 후진국이다.

가는 도중에 비도 약간 뿌린다.

날씨가 흐리고 쌀쌀하니 움직이기에는 좋다.

3,201미터 분지에 마을이 있는데, 이 마을에서 나가는 게 출세한 거 라 한다. 허긴 세상으로 나갔으니 출세는 출세이다.

그런데 나간 아들 딸들을 기다리는 게 이곳 엄마들의 마음이란다.

합파설산: 방목하는 소

그렇지만 나간 자식들은 눈꼽만치도(눈곱만치도의 사투리) 엄마 생각을 안한다.

한 번 출세하면 죽어도 안 돌아온다고!

세상이 왜 이리 변했는고?

물질이 발달하니, 거기에 혹하여 기본적인 도리를 망각하는 것은 중국이나 한국이나 어느 곳이나 같은 모양이다.

그러니 발전이 과연 좋은 것인가?

17. 참으로 아이러니하다.

18. 배값이 너무하다!

2024년 3월 24일(일)

주변의 산들은 적어도 3,000미터가 넘을 것이다. 산에 눈이 보인다. 그렇지만 산밑에는 4, 5월의 꽃들이 만발해 있다.

가는 길에 보이는 3,245미터 고지의 라마교를 믿는 마을이 독특하다. 마을 가운데 탑이 있고, 가축은 방목하는데, 새로 난 도로가 이를 가로지른다.

2시 55분, 관광지로 개발된 해발 3,372미터에 있는 보달조국가공원 (普达措国家公园 Potatho National Park 번체로는 普達措國家公園 중국 발음으로는 보탓초 국립공원)에 도착한다.

가이드는 산소통과 방한복을 내주며, 3시간 여유가 있으니 6시 20분에 집합하라고 명령한다.

보탓초국립공원

보탓초 국립공원

이 공원엔 속도호(属道湖 Shudu Lake 중국말로는 슈두호)와 벽탑호(碧塔海 Bita Lake 중국말로는 비타호)라는 두 개의 호수가 있는데, 이들 호수까지는 공원의 셔틀버스를 타고 가야 한다.

우리가 버스를 타고 간 곳은 아마도 슈두호인 모양인데 호숫가에는 잔설이 보이고 야크가 방목되어 풀을 뜯고 있다. 호수 너머 저쪽은 검푸른 색의 가문비나무 숲으로 덮여 있다.

왼쪽 산등성이 밑엔 세 개의 탑이 보인다.

이 호숫가에는 호수 저편으로 가는 산책길이 3km 정도 된다는데, 공원 입구까지 다시 돌아가기 위해서는 호숫가 저편 선착장에서 버스를 타야 한다고 한다.

그러니 저쪽 선착장까지 가려면 호숫가 데크 길로 걸어가든지, 배를 타고 가든지 해야 한다.

배를 타면 일인당 50위안(약 10,000원)이다.

보탓초국립공원: 호수

18. 배값이 너무하다!

보탓초국립공원: 탑

이 호수는 3,582미터 고지에 있는데, 호숫가로 슬슬 걷는 것도 좋겠지만, 숨이 가쁠 테니 배표를 사서 배를 탄다.

걸어가면 1시간 정도 걸린다는데…….

배를 타고 보니 얼마 안 되어 내린다. 불과 이쪽 선착장에서 저쪽 선착장까지 불과 2km 남짓이니 배를 탄 시간이 20분이 채 안 된다.

배값이 너무하다 싶다. 슬슬 걸을 걸 그랬다. 100위안이 아깝다. 괜히 탔다!

천천히 걸으면 걷는 대로 자연 풍광을 즐길 수 있는 것을!

이 국립공원은 완전한 원시 삼림생태계를 유지하고 있다는데 실감이 안 난다. 곧, 울창한 숲과 이 숲에 사는 야생동물들, 그리고 풍부한 물과 풀이 있는 목초지 때문에 철이 바뀜에 따라 날아오는 철새들도 많다고 한다.

그런데 비싼 돈 내고 배를 탔기 때문인지 야생동물들은 전혀 보지

보탓초국립공원: 호수 건너편 선착장

못했다. 그렇다고 호숫가에 날아온 철새들도 없고.

공원 안에서는 배든 버스든 항상 비싸다.

시내버스는 기본요금이 3위안에서 비싸야 7~8위안 정도인데, 요건 배 타고 2km나 왔는가, 50위안이나 받으니…….

여기 오시는 분들, 절대 배를 타지 마시라!

그리곤 줄을 서서 기다리다 버스를 탄다. 이 버스는 공원 입구까지 간다.

공원에서 나오니 5시밖에 안 되었다.

우리 차를 찾아 올라탄다.

6시 20분까지 차로 오라고 하였으니 1시간 넘게 기다려야 한다.

주내는 핸드폰 통역 앱으로 중국 처녀와 함께 대화하기 바쁘다.

이제 저녁 먹고 호텔로 가서 쉬면 된다.

오늘 관광은 어제와 마찬가지로 별 재미가 없다.

18. 배값이 너무하다!

6시 반, 차는 샹그릴라로 향한다.

샹그릴라 도심 못미처 어느 식당인가에 차를 세운다.

날씨는 쌀쌀하다 못해 좀 춥다. 잔뜩 흐려 우중충한 가운데 바람은 찬데, 주변에 집들은 별로 없다.

그런데, 이곳의 집들은 좀 이상하다. 벽돌로 지은 이층집이 대부분인데, 벽에는 장식을 한 창문이 멋대가리 없이 이상하게 나 있다.

참 볼품없다. 이리 멋대가리 없게 집짓기도 쉽지는 않을 텐데, 재주가 용키는 용타!

주변의 집을 사진기에 넣고 이제 식당 안으로 들어간다.

식당은 꽤 큰 대형식당인데, 저쪽 편 문 입구 쪽으로 큰 무대가 있고, 무대를 중심으로 식탁이 놓여 있다.

식탁 위에는 각종 음식 재료들과 끓는 물이 담긴 솥이 놓여 있다. 메뉴는 단 하나, 샤브샤브다.

샹그릴라 못미처 식당 근처 누군가의 집

보탓초 국립공원

샹글릴라: 샤브샤브

야크 고기, 돼지고기, 쇠고기, 삼겹살, 면, 토마토, 감자 등을 끓는 물
에 넣어 먹는 것인데……

보기는 화려한데 별로 입맛에 맞지는 않는다.

샹글릴라: 식당

18. 배값이 너무하다!

샹글릴라: 식당

식사하는 동안 저쪽 무대에선 민속춤도 추고, 사회자가 농담도 하고, 또 다시 민속춤을 춘다.

춤판과 함께 사회자가 흥을 돋우려고 소리를 질러대지만, 아이구, 빨리 호텔에 가서 쉬고 싶다.

벌써 여덟 시 반이 넘었는데도 끝낼 생각을 안 한다.

긴 시간의 식사가 끝나고 밖으로 나오니, 이제 밖에선 모닥불을 피워놓고 또다시 새로운 춤판이 벌어진다.

누군가에게는 흥겨운 잔치이련만, 누군가에게는 지겨운 시간이다.

드디어 춤판도 끝나고, 차는 샹그릴라 시내의 메트로폴로 진탕호텔(Metropolo Jintiang Hotel)로 우릴 데려다준다.

호텔은 좋다. 맘에 든다.

보탓초 국립공원

19. 새로운 형태의 묻지마 관광

2024년 3월 25일(월)

아침 6시에 일어나 샤워를 하니 정신이 좀 난다.

오늘은 중국여행사에서 9시에 우리를 데리러 와 어딘가로 간다.

중국말이 안 통하니 어디로 가는지 알 수가 있나?

새로운 형태의 묻지마 관광이다. 그냥 일행인 광동 처녀가 하는 대로 하는 수밖에 없다. 어제처럼 배 타라면 배 타고, 돈 내라면 돈 내고, 시키는 대로. 그러니 만족감은 떨어진다.

힘든 만큼 만족도는 올라간다.

힘들면 만족도가 올라가고 편하면 만족도는 떨어진다? 이것도 아이러니다. 우리 삶은 사실 이러한 아이러니의 연속이다.

잘 생각해보라. 우리 인생도 그렇지 않은가? 편한 것만 찾다 보면

샹글릴라

상글릴라 첫날 3월 25일 일정

불만이 쌓이게 되지만, 힘들더라도 견뎌내면 무엇인가 이룰 수 있고, 만
족감은 올라가는 것이 세상 이치이니 말이다.

결국 열심히 성실히 사는 것이 최선의 길인 것이다.

그러니 힘들다고 피할 필요는 없다.

편하면 편한 것이 아니고, 힘들다고 힘든 것이 아니다. 세상은 애초
부터 그렇게 만들어져 있다. 서로 모순인 것들이 상호작용하여 만들어
놓은 게 이 세상이다.

상글릴라 구산공원

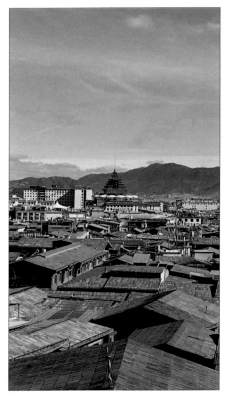

샹글릴라 시내

3,244m 고지에 있는 향리객납(香喀里拉: '샹그릴라'를 중국 글자로 쓴 것임)의 옛 도시(old town)인 독극종고성(獨克宗古城 Dukezong Ancient Town: 티베트인들이 세운 고성)으로 간다.

독극종고성은 티베트 왕국이 지배할 당시 이곳 정상에 보루를 세우고 부른 이름인데, '돌 위에 쌓은 성'이라는 뜻이라 한다. 아마도 '독우 마루('독'은 '돌'의 사투리이고 '우'는 '위'의 사투리)'라고 부른 성싶다.

지금은 그냥 샹글릴라 고성이라고도 부른다.

이 도시의 옛 이름은 적경장족자치주(迪庆藏族自治州 번체로는 迪慶藏族自治州 중국말로 더칭장족자치주)의 중전(中甸 중국말로는 중디엔)이었는데, 중국 정부가 2001년에 제임스 힐튼이 1933년에 쓴 소설 <잃어버린 지평선: Lost Horizon>에 나오는, 외부와 단절된 신비하고 평화로운 계곡의 동네 이름인 '샹그릴라'로 개명한 것이다.

19. 새로운 형태의 묻지마 관광

참고로 이 소설에서는 곤륜산맥(Kunlun Mountains: 중국말로는 쿤룬산맥) 서쪽 끝자락에 영원한 행복을 누릴 수 있는 지상낙원인 '샹그릴라'라는 지역이 있다고 묘사되고 있다.

메트로폴로 진탕호텔에서 아침을 먹고 샹그릴라 고성의 옛 거리를 구경하고, 초원에 들려 점심을 먹은 후 우리가 예약해 놓은 케빈의 트렉커 인(Kevin's Trekker Inn)까지 데려다주면 이 중국여행사는 할 일을 다 한 것이다.

대구산공원(大龜山公園 중국말로는 다이구이샨공원인데 그냥 구산공원으로 부르기도 한다)은 구산에 있는데, 구산 위에는 대불사(大佛寺)라는 티베트 사원이 있고, 거기 가면 세계에서 제일 큰 마니차(大轉經筒 대전경통: 큰기도바퀴)를 볼 수 있다.

대불사는 청나라 건륭제 때인 1787년에 이 언덕에 세워졌는데, 여기에 오르면 샹그릴라 옛 거리와 시내를 한눈에 볼 수 있다.

샹그릴라: 대구산공원

샹그릴라 구산공원

구산공원 산 위로 오른다.

계단 위로 오르는 길은 가팔라서 힘들다.

"힘들어야 보람도 있고, 만족도가 더 높아지는 겨!"를 되뇌면서 계단을 올라 구산공원 현판이 붙은 문을 지난다.

티베트 불교는 상당히 포용적인 종교인 모양이다. 문을 지나니 왼편엔 공자님을 모신 전각이 있고 오른쪽은 노자를 모신 전각이 있다.

공자전(孔子殿)은 입구로 연결되고 노자전(老子殿)은 출구로 연결된다. 아마도 입구로 들어가 출구로 나오는 동안은 부처님이 계신 절 대불사(大佛寺)가 있을 것이다.

마치 공자님 말씀대로 인생을 시작하여 살다가, 부처님처럼 깨닫고, 출구로 나오면서 노자님처럼 무위자연(無爲自然)으로 돌아가시라는 뜻 같기도 하다.

공자전 옆의 입구로 들어가면 검은 휘장을 친 티베트 불교사원인 대

샹그릴라: 대구산공원 공자전

19. 새로운 형태의 묻지마 관광

불사가 나오는데, 일단 왼편에 있는 절부터 둘러보려고 왼편으로 간다.

왼편에도 금빛 기와를 얹은 3층인가 4층인가 하는 금강전(金剛殿)이라는 절이 있는데, 절로 가기 전 커다란 탑 비슷한 곳에서 무엇인가를 태우고 있어 연기가 자욱하다.

자욱한 연기 너머로 붉고, 노랗고, 파랗고, 하얀 '타르초'라는 천들이 솟대와 같은 기둥을 중심으로 한 다발 묶여 바람에 휘날리고 있다. 티

구산공원 금강전 앞 타르초

벳 불교가 샤마니즘적 신앙과 결부되어 있는 것이다.

여길 지나니 금빛 전각이 나오는데, 이것이 아마 금강전인 모양이다.

금강전 처마 지붕과 샹그릴라의 옛 도시 지붕들이 햇빛을 받아 환히 빛나고 있다.

금강전 앞에는 커다란 세 발 향로가 향을 피우고 있다.

절집을 한 바퀴 돌며 샹그릴라 시내를 내려다 본다.

구산공원 금강전과 샹그릴라 시내

그리고는 아까 본 큰 절 뒤편으로 돌아가니 황금빛의 거대한 탑 같은 마니차(转经筒, 정체로는 轉經筒, 티베트어로 마니두이 manidui, 우리말로 의역하면 기도바퀴)가 우리를 맞이한다.

우와 이게 세계에서 제일 큰 마니차구나!

물론 밑에서도 잘 보인다. 그렇지만 왜 힘들게 올라갈까?

아까 말한 대로 힘들어야 만족도가 높아지기 때문이다. ㅎ.

순동으로 만들고 진짜 금으로 도금한 이 마니차는 높이가 21m이고, 지름이 15미터이며, 무게는 약 60톤인데 이 마니차 벽에는 문수, 보현, 관음, 지장의 4대보살이 돋을새김으로 새겨져 있다.

마니차 옆구리에는 약 10cm 두께의 강철 파이프가 둘려져 있어 사람들이 여기에 붙어 마니차를 돌리기 시작한다.

사람들이 돌리는 마니차를 사진 한 컷에 제대로 담기는 힘들다.

이 마니차를 돌리려면 적어도 12명 이상의 사람들이 붙어야 한다.

19. 새로운 형태의 묻지마 관광

구산공원: 마니차

샹그릴라 구산공원

그리고 홀수 번 회전을 하여야 한다고.

한 바퀴 돌리는 건 부처님 명호를 124만 번 염불하는 것과 같다고 하는데 기도의 효과가 있으려면 시계 방향으로 반드시 세 바퀴를 돌려야 한다니, 여기 오시면 이를 꼭 돌려보시고 복을 받으시라.

시계 방향으로 돌리는 것은 시계 방향이 선(善)함의 상징이기 때문이고, 세 번 돌리는 이유는 돌리는 이의 전생, 현생, 내생을 상징하기 때문이라고 한다.

구산공원을 내려오면, 광장 양옆으로는 홍군박물관이 있다.

차마고도중진(車馬古道重鎭)이라는 패말을 지나 박물관 안으로 들어가면, 그 안에 절이 있다.

절 안을 들여다보니 역시 고깔을 쓴 금빛 부처가 있을 뿐이다.

그런데, 왜 여기 부처님들은 고깔모자를 쓰고 있을까?

이 고깔모자는 인도 밀교로부터 유래된 것이라 한다. 인도 밀교에서

구산공원: 대불사와 마니차

19. 새로운 형태의 묻지마 관광

는 고깔모자를 신성한 존재의 상징으로 여겼는데, 이것이 티베트 불교에 전해진 것이다.

곧, 고깔은 부처님이 세상의 모든 것을 꿰뚫는 지혜를 가지고 계신 것을 상징하며, 또한 부처님이 깨달음을 위해 끊임없이 수행과 정진을 하셨다는 것을 나타내고, 다른 한편으로는 부처님이 세상을 구원하는 신성한 존재임을 보여주기 위한 것이라 한다.

고깔 쓴 부처

고깔의 종류는 부처님의 다섯 가지 지혜를 상징하는 5중고깔, 카르마파 종(티베트 불교의 주요 종파 중 하나)의 지도자인 스님들이 쓰는 검은 고깔, 부처님의 지혜와 위엄을 상징하는 금빛 고깔 등이 있다.

여기에서 부처님의 다섯 가지 지혜는 모든 것을 있는 그대로 바라보는 거울 같은 지혜라는 대원경지(大圓鏡智), 모든 존재를 평등하게 바라보는 지혜인 평등성지(平等性智), 모든 현상을 깊이 있게 관찰하고 이해하는 지혜인 묘관찰지(妙觀察智), 중생을 구제하기 위해 적절한 방법을 선택하는 지혜인 성소작지(成所作智), 모든 존재의 본질을 꿰뚫어 보는

상글릴라 도시 전경

궁극적인 지혜인 법계체성지(法界體性智)의 다섯 가지를 말한다.

이들 지혜는 대원경지부터 시작하여 평등성지, 묘관찰지, 성소작지로 단계적으로 발전하여 결국 법계체성지에 이르게 된다고 한다. 곧, 있는 대로 바라보면, 차별 없이 보게 되고, 모든 것을 깊이 이해할 수 있게 되며, 중생을 구제하는 방법을 알게 되고, 결국 모든 것의 본질을 깨닫게 된다는 것이다.

홍군박물관은 중국 혁명의 역사를 보여주는 사진 등만 있는 거 같아 별 관심이 없어 대충 보고 돌아나온다.

반대쪽 박물관은 문이 닫혀 있어 안으로 들어가 볼 수 없다.

20. 왜 살살 가야 하냐고?

2024년 3월 25일(월)

10시 10분, 우리가 탄 차는 납파해(纳帕海 번체로는 納帕海이고 중국 말로는 나파해)로 출발한다.

자동차는 송찬림사 앞에 멈추고는 그 입구에서 사진만 찍으란다.

우리 일행 처녀 두 명 중 하나는 숨쉬기가 힘들다며 그대로 차에 있고, 식성이 좋아 잘 먹는 하나는 그래도 구경하러 나선다.

"처녀 애들은 빌빌하는데, 늙은 우리는 팔팔해요!"

"우리도 팔팔한 건 아니지요, 칠칠하다면 몰라도~."

고산병 증세는 나이보다는 체질에 따라 다르게 나타나는 모양이다. 나에게 배정된 산소통을 고산증세가 있는 처녀에게 준다.

다시 자동차는 납파해의납초원(纳帕海依拉草原 번체로는 納帕海依拉

나파해일라초원

샹그릴라 나파해

草原이고 중국말로는 나파해일라초원)으로 간다.

승마한다고 내리라 해서 내렸더니만, 일인당 180위안을 내야 한다고 한다.

조랑말을 한 시간 타는데 우리 돈으로 35,000원을 내라니…….

"내가 본 우리나라 여행사 일일 투어 패키지에는 승마가 포함되어 있었는데. 점심으로 야크 버거도 포함되어 있고~."

물어보니 아니란다.

이 패키지에는 승마가 포함이 안 되어 있다는데 우쩔겨?

승마체험이 포함되지 않았으면 굳이 조랑말을 탈 필요는 없을 듯하다.

"돈 아깝다. 안 타!"

잠깐 사진만 찍고는 차에 타고 샹그릴라공항 옆을 지나 이번엔 다른 초지로 간다.

이 초지는 나파해경구(纳帕海景区)에 있는 해발 3,236m의 나파해초

나파해 조지

20. 왜 살살 가야 하냐고?

나파해 초지: 활터

원이다.

역시 풍경은 비슷비슷하다.

여기에서는 마음이 변했는지, 아프다는 처녀들은 말 타는 걸 흥정하고는 장족의 옷으로 갈아입고 말을 타고 떠난다.

그런데 저쪽 나파해 호수까지 갔다 오려면, 한 시간 반이 족히 걸린다고 한다.

처녀들이 돌아오는 동안 우리는 뭘 하나?

할 일이 없다.

물론 이곳에는 활쏘기 체험도 할 수 있고, 새끼 양들을 안아볼 수도 있다.

그렇지만 이런 건 공짜가 아니다. 돈이 든다.

돈이 들더라도 주몽의 후예인 활 솜씨를 보여줄까 싶기도 하지만, 이곳 활터는 빈약하기 짝이 없어 활을 쏘고 싶은 마음이 사라져 버린다.

샹그릴라 나파해

나파해 초지

결국 시간을 보내려면 슬슬 걷는 수밖에 없다.

호수까지 가봐야 뭐 볼 게 있나 싶어 풀을 뜯는 야크 떼가 몰려 있는 곳까지만 살살 가서 사진을 찍는다.

왜 살살 가야 하냐고?

그야 말똥이나 야크 똥을 밟지 말아야 하기 때문이지!

요때는 야크 가까이 가지 않아야 한다. 야크가 다가와 같이 놀자고 하더라도 조심하시라. 잘못하면 야크가 다가와 들이받을 수도 있으니.

넓은 초지 너머로 보이는 검푸른 산은 남월산(藍月山)이고, 그 뒤의 하얀 설산은 석카설산(石卡雪山)이라고 하는데, 푸른 초지의 야크들과 어울려 좋은 풍경을 제공해준다.

석카설산(石卡雪山)에서 '卡'라는 글자는 '카드 카'자(字)라는데, '위에서 아래로 긁는다'는 뜻을 가지고 있다. 이는 신용카드를 위에서 아4래로 긁을 때 나타나는 모양을 형상한 것이라 한다.

20. 왜 살살 가야 하냐고?

나파해 초지: 야크와 말

샹그릴라 나파해

144

나파해 초지

　중국여행을 하다 보니 새로 만든 한자도 공부해야 하고, 여하튼 치매예방에 좋은 게 여행이다.
　돌아오면서 남월산 쪽을 보니, 하얀 눈을 이고 있는 석카설산과 짙

나파해 초지

20. 왜 살살 가야 하냐고?

은 남빛의 남월산 밑에 가즈런히 자리잡은 집들, 그리고 그 앞의 초원에
는 말 세 마리가 걷고 있는데, 너무나도 평화로운 장면이다.

한참 걸었더니 다리도 아프고, 덥기도 하고, 배도 고프다.

아침에 일기예보를 보니 이곳의 한낮 온도가 10~12도라고 하기에
옷을 두텁게 입었는데, 실제는 이보다 훨씬 높은 모양이다. 바람도 초속
5미터라는데 거의 불지 않는다.

덥다. 이럴 줄 알았으면 오시나 가볍게 입고 왔을 텐데……

다시 차로 돌아와 귤을 까먹고, 호두를 몇 개 먹으며 쉰다.

벌써 12시 반이 넘었다.

야들이 와야 식당에 갈 텐데……

드디어 이 처녀들이 돌아왔다. 이제 차는 식당으로 간다.

21. 샹그릴라에서는 난방이 잘 되는 호텔을 잡으시라!

2024년 3월 25일(월)

점심을 먹은 후, 차는 우리가 예약한 Kevin's Trekker Inn으로 간다.

지도상으로는 분명 우리를 내려준 요 근처에 호텔이 있을 텐데, 지나가는 사람에게 물어도 모른다고 한다. 길가의 가게에 들어가 물어도 모른다는 대답이다.

허긴 Kevin's Trekker Inn을 물어보았으니 야들이 알 리가 있나! 나중에 호텔 예약증을 꺼내 보니, Kevin's Trekker Inn 뒤에 괄호 열고 '香格里拉龍門客棧'이라 쓰여 있다.

진즉에 샹글릴라 용문객잔을 물어볼 걸!

결국 간신히 이 호텔을 찾아 가 보니, 길가에 있지 않고 골목 저 안쪽에 있었던 거다.

들어가니 우리에게 방을 무료로 업그레이드 시켜준다며 이층으로 안내한다.

방도 넓고, 샹글릴라 시내가 내려다보이는 전망도 괜찮은데, 주내가 냄새가 난다며 원래 예약한 방을 보여달라고 하자 일 층에 있는 방으로 안내하는데, 여긴 냄새가 없다.

차라리 이 방을 쓰자며 짐을 풀려고 하는데 방이 너무 춥다. 난방시설이 안 되어 있는 거다. 따뜻한 물도 나오지 않는다고 한다.

어제 잔 호텔이 생각난다. 비록 아침 식사는 시원치 않았지만, 춥지도 않았고, 샤워한 물도 따뜻했는데……

그런데, 이 호텔은 신시가지에 있어 옛 도시인 독극종고성(獨克宗古城 Dukezong Ancient Town)을 관광하기에는 거리가 좀 멀다.

결국 Kevin's Trekker Inn 예약을 취소하고는 다시 가방을 끌고 샹그릴라 옛 도시 쪽으로 간다. 아무래도 밤 풍경 관광은 옛 도시가 나을 것이기 때문이다.

결국 여기 저기 호텔을 찾다가 독극종고성(獨克宗古城) 내에 있는 졸아당객잔(拙雅堂客棧)으로 들어선다.

1층에 방을 얻어 들어가 짐을 푼다.

그런데 여기도 냉난방은 안 된다고 한다. 다만 침대에 전기담요가 깔려 있고 따뜻한 물은 나오지만!

나중에 알고 보니 이곳은 아열대 지역이라서 늘 봄과 같은 날씨이기 때문에 숙박업소 대부분은 냉난방시설이 안 되어 있다고 한다. 최근에 지은 신시가지쪽의 호텔 몇몇을 제외하고는.

샹그릴라: 졸아당객잔

샹그릴라 고성

148

샹그릴라:의밤

이제 저녁을 먹고 샹글리라 고성의 밤 구경을 하러 나가야 한다.

집 앞 식당에서 볶음밥을 시켜 먹는다. 다른 음식들은 향신료 때문에 잘 먹을 수가 없으니 만만한 게 그저 볶음밥이다.

밥을 먹고, 호텔 앞 골목을 지나 넓은 광장으로 가니 벌써 사람들이 어울려 원을 그리며 춤판이 벌어진다.

주변에는 구경하는 사람들도 가득하다.

역시 옛 도시에는 낭만이 흐른다. 살 맛이 난다.

그런데, 왜 현대화된 도시는 삭막할까?

사람이 있어야 할 곳을 물건이 차지하고 있으니 정이 마르는 거다. 물질문명의 발전은 사람들의 관계를 메마르게 한다. 인정이 불필요해지는 거다.

그렇지만 그러면 그럴수록 사람이 그리워지는 거다. 물건이 돈이 사람을 대체하나, 물건이나 돈이 사람의 정을 대체하지는 못하기 때문이다.

21 샹그릴라에서는 난방이 잘되는 호텔을 잡으시래!

샹그릴라: 북문 근처

그래서 우리는 여행을 통해 사람을 찾는다. 살 맛을 찾아 떠나는 것이 여행인 것이다.

춤판을 지나 골목길로 들어서니, 길가 양쪽엔 화려한 불빛 아래 가

샹그릴라: 고성 북문

샹그릴라 고성

게들이 성황이다. 이쪽저쪽 기웃기웃 구경하며 나아가니 이것도 관광이다.

저쪽에 고성 북문이 화려하게 빛난다.

북문 옆으로 나 있는 골목에는 근사한 4층 누각이 줄지어 서 있다.

한 무리의 사람들이 누각으로 올라가는 엘리베이터를 탄다.

물어보니 호텔이라고 한다.

샹그릴라: 북문 근처

어쩌면 이 호텔은 난방시설이 되어있을지도 모르겠다는 생각이 든다.

허지만, 내일이면 이곳을 떠나 다시 곤명으로 돌아가야 하니, 알아봐야 이곳으로 숙소를 옮길 수는 없다.

그렇지만 다음에 여길 오시는 분들을 위해 이 호텔 이름과 가격 등을 알아내려고 프런트를 찾으나 어디에 있는지 모르겠다.

결국 헤매다가 다시 되돌아서 우리가 묵는

21 샹그릴라에서는 난방이 잘되는 호텔을 잡으시라!

호텔로 온다.

방으로 들어서니 방 안 공기도 엄청 차갑게 느껴진다. 전기난로라도 있으면 좋겠으나, 전기난로도 없고!

너무 춥다고 하자 주인은 우리에게 이불을 한 채씩 더 가져다 준다.

주인은 친절하다.

그렇지만 밤에 자는데 이불 두 개를 뒤집어써도 춥다.

샹글릴라가 이상향이라는데, 이런 이상향이라면 얼어 죽겠다.

전기담요를 켜고 그 속으로 들어가니 전기담요 있는 곳은 따뜻하지만, 전기담요에서 조금만 벗어나도 차가우니 몸을 웅크릴 수밖에 없다.

그렇게 떨며 하루를 마감한다.

샹그릴라에 오시면 호텔을 잘 잡으시라! 난방이 잘 되는 호텔을! 꿀팁이다.

22. 풍경구 구내 버스가 비싼 이유

2024년 3월 26일(화)

방이 무척 춥다.

호텔에서 주는 아침은 국수다. 그냥 따뜻한 국물이 좋을 뿐이다.

짐을 꾸려 호텔에 맡겨 놓고, 송찬림사(松贊林寺) 구경을 하러 간다.

오전에 송찬림사를 구경하고, 점심을 먹은 후 오후에 샹그릴라공항

샹글릴라 둘째날 3월 26일 일정

송찬림사

으로 가서 곤명 가는 비행기를 타면 된다.

슬슬 걸어 북문 밖에 있는 시내버스 정류장으로 간다.

시간은 9시 반이다.

3번 버스를 2위안(약 400원)에 타면 된다는데, 왜 이리 안 오는고?

한 10분 기다리니 버스가 온다.

버스 타는 곳에서 한 소년이 도움을 준다. 나중에 알고 보니, 자기 버스가 왔어도 안 타고 우리 버스인 3번 버스가 올 때까지 기다렸다가 운전수에게 우리가 내리는 곳까지 얘기해 준 것이다.

너무 고맙다.

어딜 가든, 어디에서든, 꼭 이런 천사가 있다.

9시 40분에 버스를 타고 송찬림사로 간다.

가는 길은 maps.me 앱에서 계속 확인한다.

귀화사(歸化寺)라고도 하는 송찬림사는 1679년 달라이라마 5세와

송찬림사 앞 호수

청나라 강희제가 함께 창건한 절인데, 문화대혁명 때 파괴되기도 했으나 1980년대 이후 재건되었다.

사원 내부에는 다양한 불상과 벽화, 탑 등 티베트 불교 문화유산이

송찬림사 앞 호수

22. 풍경구 구내 버스가 비싼 이유

보존되어 있어 현지인들에게 '운남성의 불교 박물관'으로 부르기도 하고, 티베트 라싸의 유명한 포탈라궁과 유사한 건축 양식을 보여주므로 사람들은 이 절을 '작은 포탈라궁'이라고 부르기도 한다.

송찬림사경구에 내려 절로 들어서며 보니, 호수가 눈 아래 펼쳐져 있다.

입장료는 55위안(약 10,000원)이고, 60세~69세는 반값인 27위안인데, 70세 이상은 무료이다.

경내 버스는 일인당 20위안(약 4,000원)이라고 한다.

여기까지 온 시내버스는 2위안인데, 풍경구 구내 버스는 20위안이라니, 그것도 얼마 안 가는 거리인데……!

풍경구 안의 버스는 정부가 관리하는 독점이라서 이리 비싼 것이다.

그렇지만, 내가 볼 때에는 이러한 가격 정책도 일리가 있다고 생각한다.

"시내버스 이용객은

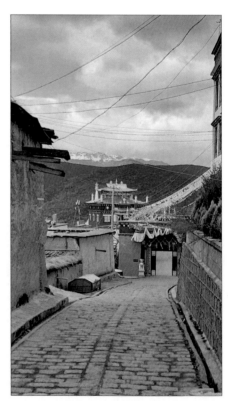

송찬림사

샹그릴라 송찬림사

일하러 가기 위한 것이니, 최소의 비용으로 국민들에게 서비스하고, 풍경구 내의 버스는 놀러 온 사람들이니 그만큼 여유가 있는 사람들 아닌가? 그러니 비싸게 버스비를 받아야 한다는 논리이다.

그래야 부의 분배, 소득재분배가 이루어질 것 아닌가? 비록 독재체제 하의 결정이지만, 참 잘하는 짓이라고 생각한다.

절은 저 높은 곳에 어마어마하게 크게도 지었는데, 법당의 벽은 마치 절벽 같다.

여길 오르는 길은 계단인데 숨이 찬다. 3,265미터 고지라서 그런 게 아니다. 계단이 가팔라서다.

절의 지붕은 그럴듯하나 벽체는 참 볼품없다. 그래서 참으로 뻔데없는 건물이지만, 그 안엔 휘황찬란한 고깔쓴 금부처를 모셔 놓았다.

절의 지붕 역시 금빛 기와로 장식해 놓아 번쩍번쩍하고, 그 안에 앉아 계신 부처님들도 금으로 치장을 하여 번쩍번쩍하지만, 이 절의 벽체

송찬림샤: 지붕과 벽

22. 풍경구 구내 버스가 비싼 이유

송찬림사

만큼은 절벽 비슷하니 볼품이 없다.

여하튼 이 힘든 길을 올라왔으니 절 안도 구경해야지!

일단 왼쪽으로 향한다. 그리고 다시 돌아온다..

그렇지만 봐도 모른다.

절이 다 그렇지 뭐, 안에는 부처님을 모셔 놓았을 거고!

요건 어느 절이나 똑같다.

그런데 절 문 앞에는 왜 여러 가지의 추상적 무늬가 박힌 검은 휘장을 쳐놓았을까?

이 검은 휘장은 속세와 신성한 공간을 나누어주는 기능을 한다.

검은 휘장 저 안은 성스러운 공간이므로 이 휘장은 이 안에 들어오는 사람들이 경건한 마음을 갖도록 유도하는 기능을 한다.

검은색 휘장에는 다양한 추상적 무늬가 박혀 있는데, 이들은 행운과 평화를 상징하는 대표적 문양인 만자문(卍), 티베트의 고산지대를 나타

송찬림샤: 마니차

내는 설산과 티베트 불교의 수호신인 사자를 표현한 설산사자기, 그리고 이 이외에도 다양한 기하학적 무늬와 상징적 도형들이 티베트 불교의 철학과 세계관을 함축적으로 표현하고 있다.

이는 티베트 불교 문화의 독특한 미적 표현으로 장식적 의미를 띠며, 평화롭고 신성한 분위기를 조성한다.

그런데 티베트 승려들은 각각 개인 집을 가지고 있으며 개별적으로 생활하다가 법회 등 행사가 있을 때에만 절에 모인다고 한다.

이 절 저 절 들여다보며 가다 보니 마니차들이 늘어서 있는 곳을 지난다.

어김없이 마니차를 돌리며 소원을 비는 사람들이 있다.

부처님, 저들의 소원을 들어주소서!

22. 풍경구 구내 버스가 비싼 이유

23. 시간이 되면 간다.

2024년 3월 26일(화)

절에서 내려오니 11시가 넘었는데, 마침 3번(三路) 버스가 기다린다. 다시 3번 버스를 타고 북문으로 가면 된다.

버스에 올라 둘이 4위안을 내고 앉았으나 언제 떠날지 모르겠다.

그렇지만 시간이 되니 차는 간다. 내 의지와는 관계없이!

사람도 마찬가지이다. 시간이 되면 간다. 어딘지는 모르지만. 역시 내 의지와는 상관없다.

아까 탔던 정류장에 내려 북문으로 들어간다.

날씨는 차다. 샹그릴라에 대해 환상이 깨진다. 추운 것밖에 생각이 안 난다.

우리가 이상향으로 그리던 샹그릴라가 아니라, 안샹그릴라, 아니 찡

송찬림사

샹그릴라 송찬림사

그린 표정의 인상~그릴라인 모양이다.

오히려 꽃이 많이 핀 대리나 리징이 더 샹그릴라답다.

맡겨 놓은 짐을 찾기 전에 점심을 먹어야 한다.

졸아당객잔 옆 식당에서 볶음밥(20위안: 약 4,000원)을 하나 시키고 조금 미안하다는 생각에 망고주스도 하나를 시킨다.

볶음밥은 두 개 안 시키기 다행이다. 양이 많다. 둘이 노나 먹고도 조금 남았다.

야들은 양이 엄청 큰 모양이다.

그리고 어제 잔 졸아당객잔에서 짐을 들고 나와 택시를 타고 공항으로 간다.

샹글릴라 디칭공항에서 곤명 창수이공항으로 가는 국내선 비행기를 예약해 놓았기 때문이다.

서울 부산 간 거리의 중국 국내선인데도 항공료는 국제선보다 훨씬

샹그릴라공항

23. 시간이 되면 간다.

샹그릴라공항

더 비싸다. 일인당 15만 원, 둘이 30만이나 들었으니 말이다.

물론 샹그릴라-곤명 기차를 타면 훨씬 돈이 적게 들겠지만, 시간을
단축할 수 있어 비행기를 타는 것이다.

샹그릴라공항

샹그릴라공항 - 곤명공항

162

택시비는 16위안(약 3,000원)이 나왔다. 기본요금이 8위안이고 일정한 거리당 2위안씩 올라간다.

1시도 안 되어 공항에 도착한다. 4시 비행기인데······. 너무 일찍 왔다.

빈 공항에 앉아 86-180-8743-4436 온리 투어(Only Tour)에 전화하여 원모토림 가는 것과 석림 구향동굴 가는 일일투어가 가능한지 문의한다.

내일 답을 준다고 한다.

그래도 시간이 남는다.

옆자리에 앉아 있는 62세의 스위스 여행객과 얘기를 나눈다.

16시에 비행기는 이륙하여, 16시 55분에 곤명의 창수이공항에 도착한다.

지하철을 타고 배성남로(环城南路) 전철역에 내려 maps.me 앱을 보며 예약해 놓은 곤명 기차역 부근에 있는 원

샹그릴라 곤명

23. 시간이 되면 간다.

더랜드 호텔(Wonder Land Hotel Kunming Railway Station)을 찾아간다.

이 호텔은 사흘 동안 머무르는데 104,853원에 예약한 호텔인데, 조금 후진 감이 있으나 방으로 들어와 보니 그런대로 잘 꾸며져 있다. 가격 대비 참 좋은 호텔이다. 버스터미널과 곤명 기차역도 가깝고.

샹그릴라에서는 추웠는데 여긴 덥다.

침대에 누우니 피로가 몰려온다.

저녁 먹으러 나가야 하는데 일어서기가 싫다. 오늘 걸은 걸음도 1만 보가 넘었다.

샹그릴라공항 - 곤명공항

24. 신기한 날씨

2024년 3월 27일(수)

아침에 일어나니 7시가 넘었다.

많이 피로한지 일어나기가 싫다.

오늘은 곤명에서 제일 경치가 좋다는 서산(西山 Xishan 중국말로는 시샨) 용문(龍門 Longmen 간자체로는 龙门이며 중국말로는 롱먼)을 가려고 계획한 날이다.

곧, 호텔에서 버스를 타고 소수민족들의 민속촌을 들렀다가 해경공원에서 케이블카를 타고 서산삼림공운으로 올라가 용문까지 트레킹을

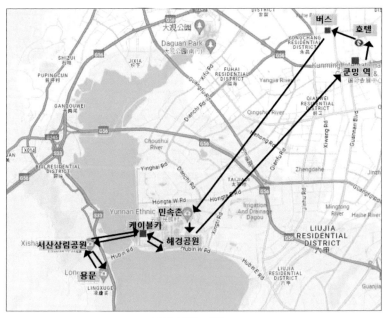

곤명 여행 계획

하고 다시 케이블카로 내려와 버스를 타고 돌아오는 근사한 계획이다.

사실은 온리투어의 일일투어 여행을 신청하려고 하였으나, 너무 늦게는 예약은 안 된다 하여, 자유 여행이 된 것이다.

호텔 프론트에서 물어보니 배성남로(环城南路) 전철역을 지나치면 버스 정류장이 나오는데 여기에서 24번이나 44번 버스를 타라고 가르쳐준다.

곤명 해경공원

가르쳐준 대로 버스 정류장으로 가서 24번 버스를 타려 했더니, 운전수가 쌀라 쌀라 하는데 알아들을 수가 있나?

어디 가는가 묻는 거라 생각이 들어 민속촌이라 하니 건너편으로 가라 한다.

고맙다!

버스 기사로서는 요 다음 역이 종점인 곤명 기차역이니, 아마도 우

서산 용문

곤명 해경공원

리가 곤명 기차역으로 가는 것은 아닌 듯하여 뭐라 뭐라 물어본 것인데,
우리가 중국말을 알아들을 수가 있나?

어찌되었든 민속촌 간다고 하니 건너편으로 가서 버스를 타라고 한
것이다.

길 건너로 넘어가 10시 반이 되어서야 버스를 탄다.

버스비는 일인당 2원(약 400원)이다. 버스비가 참 싸다.

늦게 나왔기에 민속촌은 생략하기로 하고, 11시 반에 종점인 해경공
원(海埂公園: '호수(바다) 둑에 만든 공원'이라는 뜻)에 도착한다.

해경공원의 나무들이 멋지다. 호수는 녹색인데.

케이블카를 타려고 케이블카 정류장을 향해 걷고 있는데, 갑자기 비
가 온다. 천둥도 치고! 버스에서 내릴 때는 해가 쨍쨍했는데…….

여기 오기 전에, 이곳 날씨에 대해서는 십리부동천(十里不同天:-십리
마다 날씨가 다르다는 뜻)이라는 말이 있듯이 곤명은 일기예보가 맞지 않

는 도시라는 글을 읽은 적이 있었는데, 정말 그런 모양이다.

그러니 우산은 늘 준비하는 게 좋다는데…….

한편 자외선이 강하니 자외선차단제도 필수란다.

또한 운남 지방은 대부분 2~3,000m 이상의 고산지대라서 고도가 1,000미터씩 올라갈수록 물 끓는 온도가 6~7도씩 떨어진다고 한다.

또한 오를수록 산소가 희박해지므로 고산병에 주의하여야 한다. 한편으로는 폐활량을 늘이는 훈련에 적합한 곳이 이곳이다.

한편 기압이 높아 골프공을 쳐도 많이 날아가는 까닭에 비거리가 안 나가는 골퍼들에게 인기가 많은 곳이라 한다.

그러니 폐활량을 늘리고 싶으신 분이나 골프 비거리를 늘리고 싶으신 분들은 이곳에 오시라!

케이블카를 타려 하니 일인당 100위안(약 19,000원)인데, 200위안하고 잔돈밖에 없다. 잘못하면 쫄딱 굶게 생겼다.

비는 뿌리고, 바람은 대단하다. 가로수의 이파리와 잔가지가 바람에 날려 거리에 떨어진다.

일단 길가의 근사한 음식점에 들어가 비바람을 피하는데 춥다. 주내는 바람막이를 걸치고 손수건으로 목을 감싼다.

신용카드를 받으면 여기서 점심을 해결하고 케이블카를 타고 가면 되겠다 싶다. 카운터에 가 카드를 내밀면서,

"요걸 받는가?"

물어보니 고개를 젓는다.

옆에 놓인 카드 리더기를 가리키며,

"요게 있는데 왜 안 되냐"

서산 용문

그러자 자기 카드를 내보이며,

"요건 중국 카드만 되는디유."

음식점에선 한국 카드라서 결제가 안 된다고 한다. 그러니 현금만 쓸 수밖에 없다.

현금을 찾아야 하는데 ATM기계도 없고, 은행도 근처에 없다.

은행을 물어보니 택시를 타야 한다고 한다.

maps.me 앱에서 은행을 치니 우리가 타고 왔던 버스 종점에서 두 번째 정류장, 그러니까 민속촌 전 정거장이 있는 로터리에 중국공상은행(中國工商銀行: ICBC)이 있다는 표시가 나온다.

이 로터리는 홍탑로(紅塔路: 중국말로 홍타로)와 전지로(滇池路 중국말로 댠지로.)가 교차하는 곳에 있다.

대략 거리를 재 보니 1km 정도 되고, 15분 거리로 표시된다.

어차피 이번 여행에서는 걷는 것으로 운동을 열심히 하기로 하였으

곤명 해경공원

24. 신기한 날씨

곤명: 홍탑로와 전지로 교차점에 있는 로터리

니 택시를 탈 필요 없이 걸어가기로 마음을 먹는다.

　날씨도 한 10여 분을 비바람치더니 어느새 해가 비치기 시작한다.

시계를 보니 12시 15분인데 햇빛이 쨍쨍해진다. 그리고 더워진다.

　참으로 신기한 날씨이다.

25. 공친 날

2024년 3월 27일(수)

은행에 가기 전 가진 돈으로 일단 요기부터 하고 보자. 금강산도 식후경이라는데, 은행도 일단 먹고 난 후의 일이다.

양주 볶음밥(18위안: 약 4,000원)과 맥주 한 병(10위안: 약 2,000원)을 시켜 먹는데, 정말 맛이 없다.

그렇지만 일단 배를 불려야 움직일 수 있으니 먹어야 한다.

그리고는 은행을 향하여 걸어간다.

드디어 로터리의 공상은행에 도착했는데, 카드를 보여주며 돈을 찾으려 한다니까 직원이 친절하게 ATM기계로 안내해 준다.

그런데 이 ATM, 카드를 읽지 못하고 에러만 난다. 직원이 서너 번을 시도해보다가 중국은행(Bank of China)으로 가 보라고 한다.

서산 절벽

결국 택시를 타고 중국은행으로 가자고 하니, 택시는 시내 쪽으로 한참 달린다.

천신만고 끝에 드디어 중국은행에 도착하니, 은행 여직원이 다가와 도와준다. 드디어 ATM에서 2,500위안(약 50만 원)을 찾는다.

그리고는 버스를 타고 다시 해경공원으로 간다.

케이블카 타는 곳으로 가니 3시가 훌쩍 넘었다.

전지케이블카 윗 역 정자: 욱광정

일인당 100위안씩 하는 케이블카 왕복표를 사 가지고 절벽을 오른다.

절벽을 오르니 벌써 3시 50분이다.

내려서 왼편을 보니 전지(滇池 Dianchi 중국말로는 댠치) 호수를 전망할 수 있는 날아갈 듯한 욱광정(旭光亭)이라는 누각이 서 있다.

누각에서 곤명 전지호와 시내를 전망한다.

내려보니 왼편으로는 용문 가는 길이 있고, 오른쪽으로는 시내로 내

서산 용문

서산삼림공원

려가는 길이 있으며, 잎에는 쭉쭉 뻗은 나무들이 참으로 멋지다.

쭉 뻗은 나무 쪽으로 걸어가니 여기엔 명나라 시대 중국 전통음악의 발전에 공헌한 곤명 출신의 대표적 음악가인 섭이(聶耳 번체는 聶耳)의 묘비가 있다.

한편 용문 입구 맞은편으로는 서산을 내려가는 석문이 보인다.

여기서 용문으로 가야 하는데 케이블카는 5시가 막차라니 1시간 여유밖에 없다.

그리고 용문 가는 입구에선 용문 풍경구 입장료를 따로 내야 한다.

그러나 창구의 아가씨는 우리에게

"케이블카를 타려면 시간이 부족하니 들어갈 필요가 없는 거 같네유."

여권을 보여주니,

"노인이라서 입장료는 무료인데, 공원 안에서 운행하는 배터리카를

25. 공친 날

타려면 일인당 20위안(약 4,000원)을 내셔야 해요. 그렇지만 배터리카가 가는 곳까지는 별로 경치가 좋지 않아요. 배터리카가 되돌아오는 지점에서 용문까지 올라가는 산길이 경치가 아주 좋아요.".

역시 오르는 수고로움이 있어야 아름다운 풍치를 즐길 수 있는 법인 모양이다.

그러면서 무료 입장권을 끊어주긴 한다.

"들어가서 조금 걷다 나오세요."

"그럼 5시 하행 케이블카를 포기하면 어떤가요? 여기에서 시내로 내려가 버스를 타는 방법도 있잖아요?"

"여기에서 6시 10분 전까지 되돌아와서 버스표를 끊어야 산 아래로 운행하는 버스를 탈 수 있어요. 물론 산 아래에서는 택시나 전철을 이용하여 시내로 들어갈 수 있지요."

이것도 전화기 통역 앱을 통해 의사소통을

서산삼림공원: 섭이묘

서산 용문

하며 간신히 얻어낸 결과다. 전화기 통역 앱이 전혀 엉뚱한 통역을 함으로써 때로는 웃음을 자아내게 해주기도 하지만, 제대로 통역이 이루어지지 않으니 대화 시간은 길어질 수밖에 없다.

이렇게 콤뮤니케이션이 안 되다 보니, 시간은 벌써 4시가 훌쩍 넘었다.

이제는 내려가는 케이블카를 포기하기도 애매한 시간이 된 것이다.

지금 전동차 표를 끊고 가서 용문으로 오르는 길을 걸어갔다 오는 시간 역시 5시 50분까지 여기로 와야 하니 전혀 충분하지 않다.

결국 이러지도 저러지도 못하는 시간이 되어버린 거다.

그러게 여행은 아침 일찍부터 해야 한다!

만약 이 글을 읽으시는 분이 곤명의 서산 용문 관광을 하시려면 오전에 가시라. 오후엔 결코 왕복으로 케이블카 표를 끊지 말고 올라가는 것 60위안만 끊으시라. 그리고 용문을 본 후 서산공원에서 놀다가 6시

서산삼림공원 입구

25. 공친 날

전지호와 곤명 시내

10분 전에 버스표를 사서 버스를 타고 산을 내려가, 전철이나 버스로 갈아타시면 된다.

우리는 할 수 없이 다시 케이블카를 타고 내려온다.

곤명 시내와 전지호를 내려다보는 경치는 좋다만, 결국 케이블카 왕복 200위안이 날아간 셈이다.

이럴 줄 알았으면 올라가는 표만 끊을 걸!

오늘 하루 관광은 완전히 공친 날이다.

중국 여행에서 한국말 가이드가 이끄는 패키지를 선택한다면 돈은 쪼께 더 들겠지만, 훨씬 편리할 것이다. 곧 다음과 같은 문제점은 생기지 않을 것이다.

첫째 한국말이나 영어가 전혀 안 통하고, 통역 앱도 제대로 통역해 주지 못하므로 대화에 시간이 많이 낭비된다. 그러니 이를 감안하여 투어 계획을 짜아 하니 패키지 여행의 반밖에 여행할 수 없다.

서산 용문

곤명 맛집: 노전산채

둘째 카드를 사용하기가 어렵고, 그래서 현금을 충분히 확보해야 한다. 그러나, 이것도 도심에는 은행이 있어 가능하지만, 관광지에는 은행도 없고, ATM기계도 없어 돈이 부족하면 시내 은행까지 갔다 와야 하는 번거로움과 시간 낭비로 우리처럼 하루 프로그램을 망칠 수 있다.

셋째 인터넷이 잘 안 될 뿐 아니라 중국 정부에서 외부로 나가는 메세지 등을 막아놓았기 때문이다.

그러나 이러한 문제점은 위챗 앱을 깔고 가면 대부분 해결될 것이다. 지금 세상은 전자기기가 해결해주는 세상이 되었다.

그러니 자유 여행, 희망을 가지시라!

이제 44번 버스를 타고 곤명 기차역에서 내려 호텔 쪽을 향해 걷는다.

걷다가 알아낸 맛집 노전산채(老滇山寨)로 들어간다. 우리 호텔인 Wonderland Hotel(Kinming Railway Station)에서 불과 200미터도 안

떨어진 곳에 있는 음식점이다.

사람들이 어찌나 용케도 맛집을 알아내는지, 음식점 밖에는 대기하는 사람들이 몇 팀 벌써부터 기다리고 있다.

식당 앞에서 대기 순번을 받아 놓고, 그 앞에서 과일 파는 노점상을 기웃거린다.

드디어 우리 차례가 왔다.

들어가 자리를 잡고 이 집에서 유명하다는 오리구이와 맥주를 시켜 둘이 노나 먹는다.

음악을 연주하고 묘기를 보여주는 사람들이 좌석을 돌아다니며 공연을 한다.

맛집인 만큼 음식들이 크게 거북하지는 않다.

잘 먹고 호텔로 돌아온다.

호텔로 돌아와 원모토림(元谋土林; Yuánmóu tǔlín 중국말로는 위안

곤명 맛집: 노전산채

서산 용문

178

곤명 맛집: 노전산채

머우 투린)에 가기 위한 기차표를 부지런히 예매한다.

아침 9시 50분 기차로 원모(元谋: 중국 발음은 위안머우)가서 18시쯤 돌아오는 기차표이다.

가만히 오늘을 반추하니 '오늘 한 일은 별로 없다.' 돈만 내버리고!

완전 공친 날이다!

25. 공친 날

26. 세상 모든 것이 다 개성이 있는 것이니

2024년 3월 28일(목)

8시에 아침을 먹고 곤명 서북쪽 150km에 있는 원모토림(元謀土林; Yuánmóu tǔlín 중국말로는 위안머우 투린)에 가기 위해 호텔을 나선다.

누군가의 기행문을 읽으니, 원모(元謀 중국말로는 위안머우)에서 갈 수 있는 관광지로 원모토림보다는 랑파포(浪巴浦 Lanfbapu 중국말로는 랑바푸) 토림이 더 멋있다고 하는 것을 읽은 적이 있다.

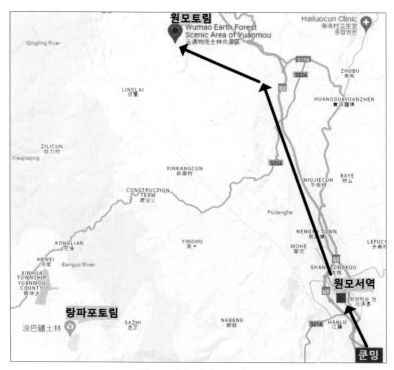

원모토림과 랑파포토림

원모토림

지도에서 랑바푸 토림 가는 길을 쳐보니 길도 구불구불하고 세 시간이 넘게 걸린다고 나오지만, 원모토림까지는 한 시간도 안 걸린다고 나오기에 시간상으로 볼 때 랑바푸 토림은 하루만에 갔다 오기엔 빠듯하여 그냥 원모토림으로 가기로 했다.

토림(土林 중국말로 투린)이란 말 그대로 '흙숲'이라는 뜻이다.

흙으로 이루어진 숲이란 말을 들으니 흙돌기둥이 무더기로 솟아 있는 미국의 브라이스 캐년 비슷할 거라는 생각이 든다.

어제를 생각하니 오늘은 제발 제대로 관광을 했으면 싶다.

곤명에서 원모(元谋)까지는 서울—대전 거리이다.

곤명 역에서 9시 55분 기차를 탄다.

원모역[元谋站 원모참 정확히는 위안머우 서역(元谋西站)]에서 내려야 하는데 maps.me 지도에 내 위치가 표시되지 않는다.

곤명-원모 기차 안

26. 세상 모든 것이 다 개성이 있는 것이니

원모토림 식당

왜 그럴까? 이유는 모르겠고 답답하기만 하다.

여하튼 기차는 11시 18분 도착이고 곤명 다음 역이니까, 11시부터 정신 바짝 차리고 있다가 내리면 된다.

벌써 11시 8분이다. 10분 남았다.

제시간에 원모역에서 내린다. 여기서 빵차를 타고 한 40분을 가야 한다는데 빵차가 언제 올지 모르겠다.

빵차는 안 오고 택시 기사들이 달라붙는다.

왕복 200위안(약 39,000원) 달라는데, 가서 100위안, 올 때 100위안을 주기로 한다.

12시가 넘어 차는 출발하여 고속도로로 들어선다. 통행료는 7위안(약 1,400원)이다. 미터기는 60여 위안, 합이 70위안(약 14,000원) 정도이다.

일단 식사를 하려고 토림 입구 아래에 있는 식당에 들어가 볶음밥과 배추탕을 시켜 먹는다. 볶음밥은 20위안, 배추탕은 18위안이다.

원모토림

원모토림: 흙돌기둥

배추탕엔 배추 외에도 두부가 들어 있는데 구수하니 맛이 있다.

식사를 하고는 원모토림으로 들어간다.

토림 입구로 들어가며 사진을 찍는다.

입장료는 일인당 70위안(약 14,000원)이고, 학생과 60세부터 70세까지는 반값이고, 70세 이상은 무료이다.

그러나 공원 안 전기차는 일인당 10위안(약 2,000원)이다. 20위안을 주고 전기차를 타고 꼭대기로 오른다.

꼭대기에서부터 구경하며 걸어 내려가는 게 아무래도 더 편하니까.

26. 세상 모든 것이 다 개성이 있는 것이니

원모토림

평일이어서 그런지 사람들은 별로 없다.

미국의 브라이스 캐넌 비슷할 거라 생각했는데, 그 맛은 전혀 다르다. 규모도 엄청 많이 작고, 푸나무도 많이 보인다.

원모토림

그래도 아기자기하니 볼 만하다.

세상 모든 것이 다 개성이 있는 것이니 우열을 가리기보다는 그냥 개별이 보여주는 특성을 즐길 것이다.

이 토림이 형성된 것은 150만 년 전이라 한다. 그러니 적어도 이 토림의 연세는 150만 살 이상인 것이다.

토림의 풍경은 쭈글쭈글한 주름잡힌 산들과 우뚝 솟은 흙돌기둥도 있고, 뾰족한 흙돌기둥도 있고, 마치 병풍처럼 펼쳐진 흙으로 된 벽 같은 것도 있고, 탑 모양도 있고, 달리는 말 같은 것도 있고, 아름다운 소

원모토림   원모토림

26. 세상 모든 것이 다 개성이 있는 것이니

원모토림

녀 모습도 있다.

　이들 곳곳은 그래도 다 이름이 있다. 자파천(刺破天: '하늘을 찌른다'
는 뜻), 정해신침(定海神針 '바다를 안정시킨다는 침'인데, 손오공이 사용하는

원모토림

원모토림

186

원모토림

원모토림

여의봉을 가리킨다.), 마천루(摩天樓), 원인곡(猿人谷: 원숭이 닮은 사람이 사는 골찌기) 등등 저마다 근사한 이름들이 붙어 있지만, 이런 이름들을 다 기억하진 못한다. 아니 기억한다 해도 그뿐이다. 곧 잊어버린다.

같이 전동차를 타고 온 백인 커플이 마천루 앞에서 사진을 찍어준다.

얼마 안 내려가 흰 색깔의 돌탑이 있다. 탑에 새겨 놓은 조각들이 정교하다. 근디 이 탑은 왜 여기에 세워놓았는고?

토림 안의 길은 여러 갈래인데, 다 다닐 수는 없다. 풍경은 비슷비슷

26. 세상 모든 것이 다 개성이 있는 것이니

하다.

그런데 너무 덥다.

그렇지만 그늘에 앉아 쉴 때 바람만 불어오면 너무도 시원하다.

돌아오는 도중에 커다란 굴이 있어 굴을 통과한다.

굴 안은 정말 시원하다.

굴을 통과하여 이곳저곳을 둘러 본 후 나아가다 보니 드디어 입구이다.

밖으로 나오니 3시가 조금 넘었다.

매표소 앞에서 아이스케키를 두 개 사서 먹으며 땀을 식힌다.

4시 10분 전쯤 운전수와 약속한 공원 입구의 그늘에서 앉아 차가 오기를 기다린다.

4시 2분쯤 차가 온다.

원모서역으로 가는 길은 아까 온 고속도로가 아니다. 자동차가 지나

원모토림

가는 옆으로는 원모토림처럼 변화하고 있는 산들의 모습이 보인다.

저것들도 몇십 년 아니 몇백 년 지나면 관광지가 될 것이다.

이곳은 열대성 초원지대라서 건기 철인 11월~5월은 둘러보기가 괜찮으나, 6월~10월은 우기철이어서 흙으로 된 토림을 걷기가 좀 힘들다고 한다. 만약 토림을 보시려거든 우기철은 피하시는 게 좋다.

돌아가는 길은 고속도로가 아니다.

고속도로 아닌 것이 더 좋다. 시골 풍경은 언제 봐도 늘 마음이 넉넉해지기 때문이다.

원모토림

원모토림

26. 세상 모든 것이 다 개성이 있는 것이니

원모토림

길옆 밭에서는 양파 수확이 한창이다.

시골길을 이리저리 달려 원모서역에 오니 4시 50분이다.

역 화장실에서 손을 씻으니 시원하다.

곤명 가는 기차는 5시 56분에 도착하여 6시에 출발한다.

시원한 포도 주스를 한 병 사 마신다.

7시 반 곤명 역에 도착.

호텔로 가는 길에 꼬치구이 점에서 오징어, 고추, 파, 새우를 구워 달래서 호텔로 들고 가 누룽밥을 끓여 같이 먹는다.

원모토림

27. 여행을 하다 보면 계속 감사할 일이 생긴다.

2024년 3월 29일(금)

오늘은 석림(石林 중국말로는 스린) 으로 갈 예정이다.

8시에 아침을 먹기 전 프런트에 석림 가는 방법을 물어보니 기차를 타고 가야 한다네~.

난 석림이 곤명 근교 가까이에 있는 줄 알았다. 그런데 석림은 곤명 서쪽으로 약 80km 떨어진 석림자치구에 있고 기차를 타고 가야 한다.

기차표를 물어보니 곤명역에는 차표가 없고, 곤명남역에는 차표가 있다고 한다.

밥은 저리 두고 기차표를 예약한다. 곤명남역까지는 도보 15분, 전철 45분, 1시간을 잡아야 한다 하여 11시 5분 차표를 끊는다.

가는 것은 곤명남역-석림서역까지 두 사람에 10,372원, 돌아오는 것

곤명남역

석림 입구

은 석림서역에서 곤명역까지 14,260원이 들었다.

오늘 밤에는 곤명공항에서 귀국하는 비행기를 타야 하기 때문에 호텔은 체크아웃을 하고 짐을 꾸려 맡겨 놓고는 전철을 타러 부지런히 걷는다.

전철 1호선 종점이라니 그냥 타고 앉아서 가면 될 줄 알았더니, 지금 탄 전차는 곤명남역이 아니라 다른 데로 가는 차다.

알고 보니 1호선 전철의 종착역은 두 개다. 교대로 이쪽저쪽으로 전철이 가는 거다.

내려서 다시 오는 전차를 타고 곤명남역으로 간다.

종점인 전철역인 곤명남역에서 사람들을 따라간다. 대부분 기차를 타러 가는 사람들이어서 그냥 따라가니 바로 곤명남역 기차역이다.

시간은 10시 조금 넘었다. 이럴 줄 알았으면 10시 35분 기차를 끊을 걸~.

석림

석림 입구

약 1시간 정도 여유가 있으니, 바빴던 마음이 느긋해진다.

기차역인 곤명남역은 엄청 크다. 식당도 있고, 의자도 많다.

10시 45분에 벌써 개표를 한다.

여기에서 홍하로 출발하는 고속열차라서 일찍 개표를 한 모양이다.

고속열차는 11시 5분 정시에 출발한다.

중국도 많이 발전했다. 정시 출발, 정시 도착. 화장실도 옛날의 그것이 아니다. 깨끗하고, 물도 손을 대면 자동으로 잘 나오고! (단 돈 받는 재래식 화장실은 옛날 그대로다).

이제 20분 후에 내리면 된다.

11시 30분에 내려 버스를 탄다.

일인당 10위안인데 20위안이 없다. 50위안을 주니 안 받는다고 위챗을 가리킨다.

이 사람들은 위챗을 쓰니, 현금이 거의 필요 없다. 나그네만 현금을

27. 여행을 하다 보면 계속 감사할 일이 생긴다.

쓸 수밖에.

돈 바꿀 데는 없구, 참으로 난감하다.

관광객 중의 한 분이 잔돈을 바꿔준다.

고맙다!

여행을 하다 보면 계속 감사할 일이 생긴다.

감사할 일이 생긴다는 건 그만큼 내가 모자라다는 얘기다. 내가 하느님의 아들이라 하더라도 인간의 탈을 쓰고 있는 이상 한계가 있는 것이다.

버스를 타고 석림까지 약 40km를 가는데 50분 정도 걸린다.

그러니 돌아올 때에도 이를 감안하여 4시 47분 기차를. 타려면, 3시 30분에는 버스를 타야 한다.

버스는 30분 간격으로 있다고 한다.

점심으로는 석림 입구의 음식점에서 밥 한 공기(3위안)에 돼지고기

석림 입구

석림

194

볶음(38 위안)으로 때운다. 기름이 많아 느글느글하다만, 우리 돈 8,000
원 정도에 두 사람 한 끼는 해결했다.

어느덧 1시이다.

입장료는 무료란다.

여기서 무료 버스를 타고 입구까지 또 간다. 웬 입구가 이리 많아?

입구를 들어서서 둘러 보아도 전동차는 보이지 않는다.

그냥 걷는다.

오른쪽으로 수반 위에 수석을 세워놓은 듯한 형태의 못과 굵은 돌들
이 여기저기 서 있는 멋진 풍경이 눈에 들어온다.

못을 끼고 오른쪽으로 돌아가는 길을 따라가다 보니 대석림 가는 표
지가 나오고, 울 저쪽엔 보라색의 전동차가 보인다.

저 전동차를 타고 둘러보면 되겠다 싶어 그쪽으로 가니 전동차를 타
려고 사람들이 줄지어 서 있다.

석림 입구

27. 여행을 하다 보면 계속 감사할 일이 생긴다.

소석림

그런데 한국말이 들리는 거 아닌가?

얼마나 반가운지!

한국 여행객들과 함께 전동차를 탄다.

소석림

석림

196

소석림

한국말을 들으니 속이 후련하다.

중국문화연구회에서 10박 11일로 왔다며 대부분 은퇴한 교수분들이
라 한다.

그림 202

27. 여행을 하다 보면 계속 감사할 일이 생긴다.

여행사 사장이라는 분이 우리가 석림서역으로 돌아가는 시간인 4시 47분 기차에 맞추어 전동차를 타고 나갈 곳을 이야기해 준다.

대석림을 볼 시간은 안 되니, 소석림만 보고 나가는 버스를 타라고 한다. 대석림은 웅장하고 소석림은 아기자기하다면서 소석림이 더 볼 만하다고 한다.

이분들과 함께 소석림을 걷고 사진도 찍는다.

소석림

우뚝우뚝 솟은 돌들은 저마다 어울리는 이름이 있고, 이름에 걸맞은 이야기를 간직하고 있다.

그러다가 이분들은 점심 먹기 위해 석림에서 나가고, 우린 20분 정도 더 있다가 나가기 위해 돌아선다.

이쪽에도 못 위에 바위들이 우뚝우뚝 서 있다.

석림이란 우리말로 돌숲인데, 처음에 우린 말라가시 칭기의 돌산과

석림

비슷하지 않을까 생각했으나, 칭기의 돌숲과는 전혀 다르다는 것을 알았다.

곤명의 석림은 약 2억 7천만 년 전 석회암이 풍화와 침식을 거치면서 형성된 기이한 모양의 석회암 기둥들이 굵직굵직하게 서 있으나 칭기의 돌숲은 지각 변동으로 융기된 땅이 수천만 년 동안 깎여 뾰족뾰족하게 생긴 돌기둥들로 날카로운 암석 지형을 형성하였다는 점에서 전혀 다르다.

역시 와 볼 만하다.

이 글을 읽으시는 분들은 말라가시의 칭기에도 꼭 가보시라고 권하고 싶다. 곤명 석림과는 전혀 다른, 그렇지만 석림 못지않은 경관을 보실 수 있을 것이니.

못 위에 있는 정자까지 갔다가 되돌아 나온다.

이제 밖으로 나와 보라색 공원 전동차를 타고 처음 전동차 탄 곳으로 간다.

여기서부터 석림서

소석림

27. 여행을 하다 보면 계속 감사할 일이 생긴다.

소석림

역으로 가는 버스정류장까지 걷는다.

아까는 경내 보라색 전동차를 탔지만 언제 전동차가 갈지도 몰라 그냥 걷는 것이다. 표지판엔 450미터로 나와 있으니, 한 15분 걸으면 될

소석림

석림

석림 입구

듯하다.

3시에 버스를 타고 석림서역으로 간다.

석림 시내는 깨끗하고 도로가 널찍널찍하게 뻗어 있어 시원하다.

석림서역에 도착하니 3시 45분쯤 되었다.

역안으로 들어가 달걀을 하나 까먹는다. 그리고 과자 한 봉지와 수정포도 주스 한 병을 사서 먹고 마신다.

27. 여행을 하다 보면 계속 감사할 일이 생긴다.

28. 이 나이에 성장은 무슨?

2024년 3월 30일(토)

이제 기차를 타고 곤명으로 향한다.

곤명역에서 나와 호텔로 가 짐을 찾는다.

아까 아침에 잊고 놔둔 안경을 호텔 프런트에서 찾아 목에 건다. 아침 먹으며 기차표를 끊는다고 챙기지 못한 것이다.

바쁘다고 흥떵대다 보면 꼭 이리 실수를 한다. 침착해야 한다.

호텔 프런트에선 차를 한 잔 주며, 안대도 하나씩 준다. 그리곤 가방을 문밖까지 끌어다 준다. 정말 친절하다. 평가가 좋은 데에는 다 이유가 있다.

부지런히 전철역으로 가 공항행 표를 끊는다. 그리고는 한 정거장 가서 6호선으로 갈아타고 공항으로 간다. 공항엔 7시 20분쯤 도착한다.

곤명 창수이공항

곤명 - 연태 - 인천

곤명 창수이공항

우리가 탈 비행기는 9시 50분 출발하여 연태 봉래에는 내일 새벽 1시 15분에 도착하는 동방항공 MU6424이다.

그리고 연태 봉래 국제공항에서 인천 가는 비행기 MU549로 갈아타야 한다.

비행기에서 하루가 지나갔다.

새벽 1시 15분, 이제 연태 공항에 내려서 비행기를 갈아타야 한다.

갈아타는 비행기는 8시 30분에 출발하여 10시 55분에 인천 도착이다. 1시간 시차를 감안할 때, 비행시간은 1시간 25분 걸린다.

그러나 갈아타는 시간은 7시간이나 걸린다. 한밤중에 7시간이라니!

그런데 이 시간이 모호하다. 내려서 시내 호텔로 가 잠을 잘 수 있는 시간도 아니다. 아침 8시 30분 비행기이니 공항엔 적어도 6시까지 나와야 되니…….

이런 상황을 예견했으면, 아예 연태에서 호텔을 예약해 놓고, 하루나

이틀 정도 느긋하게 여행하면 될 터인데, 시간이 남아도는 은퇴 늙은이
가 무슨 바쁜 일이 있다고 요 고생인고!

그렇지만 어쩌랴. 항공권은 미리 끊어 놨고,

공항 안에서 몇 시간을 지내는 수밖에 없다.

다 나의 불찰이다. 생각이 모자랐던 거다.

그런데 환승객을 맞이하는 창구는 문이 닫혀 있고, 직원에게 물어보
니 밖으로 나가서 내일 아침 7시에 체크인을 다시 해야 한다고 한다.

환승객은 처음 체크인할 때 환승표까지 끊어주는 것이 보통이다. 그
래서 공항 밖으로 나가지 않고 안에서 기다리다 환승하는 비행기를 타
게 된다.

공항 밖으로 나갔다 다시 들어오게 되면, 체크인, 짐 검사 등등을 다
시 해야 하는 번거로운 일이 생기니 환승객이 매우 불편하다. 그리고 같
은 비행기임에도 불구하고 수하물을 찾아 다시 부쳐야 한다.

연태공항

곤명 - 연태 - 인천

중국 항공사라 그런가? 참으로 비효율적이다. 실업율을 줄이는 고용 효과는 있겠다만…….

어찌 되었든 1시가 넘어 밖으로 나와 공항 대기실 의자에 누워 잠을 청한다.

그러니 잠이 오나? 등은 배기고……. 이렇게 7시까지 기다려야 한다.

집 떠나면 고생이다.

받아들여야지, 별수 있는가? 고난을 통해 성장한다고 했으니…….

이 나이에 성장은 무슨? 그렇지만 요렇게라도 생각해야 마음이 편하다.

그럭저럭 5시가 넘었다.

화장실로 가 세수를 하고, 이를 닦고, 이제 3층으로 올라가 보니 발권은 7시부터 8시 사이에 한다고 되어 있다.

연태공항

28. 이 나이에 성장은 무슨?

다시 의자를 찾아 앉아서 시간을 보낸다.

다시 비행기를 타고 2시간 반 정도 가니 인천공항이다.

<끝>

곤명 - 연태 - 인천

이번 여행은 정말 힘든 여행이었다.

11일간의 운남 자유여행이었지만, 의사소통이 잘 안 되어 겪은 어려움 때문에 원래 계획한 것의 반 정도밖에 구경하지 못했다.

예컨대, 곤명에서는 석림에서도 소석림 일부만 구경했을 뿐 대석림도 못 보고 돌아와야 했고, 구향동굴도 못 가 봤고, 제일 경치 좋다는 곤명 서산공원의 용문도 올라가지 못했으며, 민속촌도 구경하지 못했다.

대리에서는 천룡팔부의 이야기를 구현해 놓은 창산도 올라가 보지 못하고, 얼하이도 가 보지 못했고, 단지 숭성사 삼탑과 천룡팔부 영화세트장만 구경하는 데 그쳤다.

여강에서는 밤에 여강 고성 안 풍경을 즐겼다고는 하나, 사자산(獅子山) 만고루(万古楼)에도 올라가 보지 못했고, 삼안정I(三眼井 Sanyan Well)에도 가 보지 못했다. 또한 수허고성과 백사고진(白沙古镇: 바이샤 마을)도 방문하지 못했다.

여강에서 옥룡설산에 갔을 때도 빙천공원에는 오르지 못했고, 모우

28. 이 나이에 성장은 무슨?

평 트래킹도 하지 못하였고, 리장인상공연도 보지 못했다.

또한 호도협에서 트레킹도 했으면 했지만 못했다.

한마디로 이번 여행은 반쪽여행이었다.

그렇지만 후회는 없다. 이것도 새로운 경험이었다. 비록 반쪽여행이었지만 즐거웠고, 천사들도 많이 만났으니까.

대리와 여강고성에서의 야간 투어는 나이를 되돌릴 수 있는 여행이었으며, 옥룡설산의 아름다움은 그 어디에도 비길 수 없는 것이었다.

다시 운남을 방문한다면, 대리나 여강에서 2~3일쯤 좀 더 넉넉하게 머물면서 못 가 본 곳도 가 보고, 고성의 밤을 다시 한번 즐기고 싶다.

운남을 자유여행으로 방문하시는 분들에게도 간곡히 권하고 싶다. 자유여행 계획을 사전에 예약하고 준비하여 좀 더 촘촘히 짜시라고, 덧붙여 위챗이라는 앱도 미리 깔고 가시고.

그러면 훨씬 알찬 여행이 될 것이라고.

책 소개

* 여기 소개하는 책들은 주문형 도서(pod: publish on demand)이므로 시중 서점에는 없습니다. 교보문고나 부크크에 인터넷으로 주문하시면 4-5일 걸려 배송됩니다.

http//www.kyobobook.co.kr/ 참조.

http://www.bookk.co.kr/ 참조.

<u>여행기(칼라판)</u>

<일본 여행기 1: 대마도 규슈> 별 거 없다데싯. 부크크, 2020. 국판 칼라 202쪽. 14,600원 / 전자책 2,000원.

<일본 여행기 2: 고베 교토 나라 오사카> 별 거 있다데싯. 부크크, 2020. 국판 칼라 180쪽 / 전자책 2,000원.

<타이완 일주기 1: 타이베이 타이중 아리산 타이난 가오슝> 자연이 만든 보물 1. 부크크, 2020. 국판 칼라 208쪽. 14,900원 / 전자책 2,000원

<타이완 일주기 2: 헝춘 컨딩 타이동 화렌 지룽 타이베이> 자연이 만든 보물 2. 부크크, 2020. 국판 칼라 166쪽. 13,200원 / 전자책 1,500원.

<중국 여행기 1: 북경, 장가계, 상해, 항주> 크다고 기죽어? 부크크, 2023. 국판 칼라 230쪽. 16,000원 / 전자책 2,000원.

<중국 여행기 2: 계림, 서안, 화산, 황산, 항주> 신선이 살던 곳. 부크크, 2023. 국판 칼라 308쪽. 25,700원 / 전자책 2,000원.

<중국 여행기 3: 태항산> 중국의 그랜드 캐넌이라고? 부크크, 2024. 국판 칼라 156쪽. 14,600원 / 전자책 2,000원.

<중국 여행기 4: 곤명, 대리, 여강, 샹그릴라> 여기는 늘 봄이라네. 부크크, 2024. 국판 칼라 230쪽. 18,900원 / 전자책 3,000원.

<태국 여행기: 푸켓, 치앙마이, 치앙라이> 깨달음은 상투의 길이에 비례한다. 부크크, 2023. 국판 칼라 232쪽. 16,100원 / 전자책 2,000원.

<동남아시아 여행기: 태국 말레이시아> 우좌! 우좌! 부크크, 2019. 국판 칼라 234쪽. 16,200원 / 전자책 2,000원.

<동남아 여행기 1: 미얀마> 벗으라면 벗겠어요. 부크크, 2023. 국판 칼라 320쪽. 26,900원 / 전자책 2,000원.

<동남아 여행기 2: 태국> 이러다 성불하겠다. 부크크. 2023. 국판 칼라 228쪽. 15,900원 / 전자책 2,000원.

<동남아 여행기 3: 라오스, 싱가포르, 조호바루> 도가니와 족발. 부크크. 2023. 국판 칼라 262쪽. 19,200원 / 전자책 2,000원.

<동남아 여행기 4: 베트남, 캄보디아> 세상에 이런 곳이!: 하롱베이와 앙코르 와트. 부크크. 2023. 국판 칼라 338쪽. 28,700원 / 전자책 3,000원

<인도네시아 기행> 신(神)들의 나라. 부크크. 2023. 국판 칼라 134쪽. 12,100원 / 전자책 2,000원.

<중앙아시아 여행기 1: 카자흐스탄, 키르기스스탄> 천산이 품은 그림 1. 부크크. 2020. 국판 칼라 182쪽. 13,800원 / 전자책 2,000원.

<중앙아시아 여행기 2: 카자흐스탄, 키르기스스탄> 천산이 품은 그림 2. 부크크. 2020. 국판 칼라 180쪽. 13,700원 / 전자책 2,000원.

<조지아, 아르메니아 여행기 1> 코카시스의 보물을 찾아 1. 부크크. 2020. 국판 칼라 쪽. 184쪽. 13,900원 / 전자책 2,000원.

<조지아, 아르메니아 여행기 2> 코카시스의 보물을 찾아 2. 부크크. 2020. 국판 칼라 쪽. 182쪽. 13,800원 / 전자책 2,000원.

<조지아, 아르메니아 여행기 3> 코카서스의 보물을 찾아 3. 부크크. 2020. 국판 칼라 쪽. 192쪽. 14,200원 / 전자책 2,000원.

<터키 여행기 1: 이스탄불 편> 허망을 일깨우고. 부크크. 2021. 국판 칼라 쪽. 250쪽. 17,000원 / 전자책 2,500원.

<터키 여행기 2: 아나톨리아 반도> 잊혀버린 세월을 찾아서. 부크크. 2021. 국판 칼라 286쪽. 22,800원 / 전자책 2,500원.

<시리아 요르단 이집트 기행> 사막을 경험하면 낙타 코가 된다. 부크크. 2021. 국판 칼라 290쪽. 23,400원 / 전자책 2,500원.

<이스라엘 요르단 여행기> 성경이 남겨 놓은 자취를 찾아서. 부크크. 2023. 국판 칼라 376쪽. 32,500원 / 전자책 3,000원.

<마다가스카르 여행기> 왜 거꾸로 서 있니? 부크크. 2019. 국판 칼라 276쪽. 21,300원 / 전자책 2,500원.

<러시아 여행기 1부: 아시아> 시베리아를 횡단하며. 부크크. 2019. 국판 칼라 296쪽. 24,300원 / 전자책 2,500원.

<러시아 여행기 2부: 모스크바 / 쌩 빼쩨르부르그> 문화와 예술의 향기. 부크크. 2019. 국판 칼라 264쪽. 19,500원 / 전자책 2,500원.

<러시아 여행기 3부: 모스크바 / 모스크바 근교> 동화 속의 아름다움을 꿈꾸며. 부크크. 2019. 국판 칼라 276쪽. 21.300원 / 전자책 2,500원.

<유럽여행기 1: 서부 유럽 편> 몇 개국 도셨어요? 부크크. 2020. 국판 칼라 280쪽. 21,900원 / 전자책 3,000원

<유럽여행기 2: 북부 유럽 편> 지나가는 것은 무엇이든 추억이 되는 거야. 부크크. 2020. 국판 칼라 280쪽. 21,900원 / 전자책 3,000원.

<북유럽 여행기: 스웨덴-노르웨이> 세계에서 제일 아름다운 곳. 부크크. 2019. 국판 칼라 256쪽. 18,300원 / 전자책 2,500원.

<유럽 여행기: 동구 겨울 여행> 집착이 삶의 무게라고. 부크크. 2019. 국판 칼라 300쪽. 24,900원 / 전자책 3,000원.

<포르투갈 스페인 여행기> 이제는 고생 끝. 하느님께서 짐을 벗겨 주셨노라! 부크크. 2020. 국판 칼라 200쪽. 14,500원 / 전자책 2,500원

<미국 여행기 1: 샌프란시스코, 라센, 옐로우스톤, 그랜드 캐년, 데스 밸리, 하와이> 허! 참, 이상한 나라여! 부크크. 2020. 국판 칼라 328쪽. 27,700원 / 전자책 3,000원.

<미국 여행기 2: 캘리포니아, 네바다, 유타, 아리조나, 오레곤, 워싱턴> 보면 볼수록 신기한 나라! 부크크. 2020. 국판 칼라 278쪽. 21,600 원 / 전자책 2,500원.

<미국 여행기 3: 미국 동부, 남부. 중부, 캐나다 오타와 주> 그리움을 찾아서. 부크크. 2020. 국판 칼라 286쪽. 23,100원 / 전자책 2,500원.

<멕시코 기행> 마야를 찾아서. 부크크. 2020. 국판 칼라 298쪽. 24,600 원 / 전자책 3,000원.

<페루 기행> 잉카를 찾아서. 부크크. 2020. 국판 칼라 250쪽. 217,00원 / 전자책 2,500원.

<남미 여행기 1: 도미니카 콜롬비아 볼리비아 칠레> 아름다운 여행. 부크크. 2020. 국판 칼라 266쪽. 19,800원 / 전자책 2,000원.

<남미 여행기 2: 아르헨티나 칠레> 파타고니아와 이과수. 부크크. 2020. 국판 칼라 270쪽. 20,400원 / 전자책 2,000원.

<남미 여행기 3: 브라질 스페인 그리스> 순수와 동심의 세계. 부크크. 2020. 국판 칼라 252쪽. 17,700원 / 전자책 2,000원.

214

우리말 관련 사전 및 에세이

<우리 뿌리말 사전: 말과 뜻의 가지치기>. 재개정판. 교보문고 퍼플.
2016. 국배판 양장 916쪽. 61,300원 /전자책 20,000원.

<우리말의 뿌리를 찾아서 1> 코리아는 호랑이의 나라. 교보문고 퍼
플. 2016. 국판 240쪽. 11,400원 / 전자책 247쪽. 4,000원.

<우리말의 뿌리를 찾아서 2> 아내는 해와 같이 높은 사람. 교보문고 퍼
플. 2016. 국판 234쪽. 11,100원.

<우리말의 뿌리를 찾아서 3> 안데스에도 가락국이……. 교보문고 퍼플.
2017. 국판 239쪽. 11,400원.

수필: 삶의 지혜 시리즈

<삶의 지혜 1> 근원(根源): 앎과 삶을 위한 에세이. 교보문고 퍼플. 201
7. 국판 249쪽. 10,100원.

<삶의 지혜 2> 아름다운 세상, 추한 세상 어느 세상에 살고 싶은가요? 교보문고 퍼플. 2017. 국판 251쪽. 10,100원.

<삶의 지혜 3> 정치와 정책. 교보문고. 퍼플. 2018. 국판 296쪽. 11,500원.

<삶의 지혜 4> 미국의 문화와 생활. 부크크. 2021. 국판 270쪽. 15,600원.

<삶의 지혜 5> 세상이 왜 이래? 부크크. 2021. 국판 248쪽. 14,000원.

<삶의 지혜 6> 삶의 흔적이 내는 소리, 부크크. 2021. 국판 280쪽. 16,000원.

기타

4차 산업사회와 정부의 역할. 부크크. 2020. 국판 84쪽. 8,200원 / 전자책 2,000원.

사회복지정책론. 송근원. 김태성. 나남 2008. 국판 480쪽. 16,000원.

4차 산업시대에 대비한 사회복지정책학. 교보문고 퍼플 [양장]. 2008. 42,700원.

사회과학자를 위한 아리마 시계열분석. 교보문고 퍼플 2018. 국판 300
쪽. 10,100원.

회귀분석과 아리마 시계열분석. 한국학술정보. 2013. 크라운판 188쪽. 1
4,000원 / 전자책 8,400원.

지은이 소개

- 송근원

- 대전 출생

- 여행을 좋아하며 우리말과 우리 민속에 남다른 애정을 가지고 있음.

- e-mail: gwsong51@gmail.com

- 저서: 세계 각국의 여행기와 수필 및 전문서적이 있음.